우연은 비켜 가지 않는다

ELIZABETH FINCH

우연은 비켜 가지 않는다

Julian Barnes

줄리언 반스 장편소설
정영목 옮김

다산
책방

일러두기

주석은 모두 옮긴이주이다.

레이철에게

차례

하나 ————— 9

둘 ————— 123

셋 ————— 203

감사의 말 ————— 295

옮긴이의 말 ————— 296

추천의 말 ————— 300

하나

ELIZABETH FINCH

그녀는 메모도 책도 초조함도 없이 우리 앞에 서 있었다. 교단은 그녀의 핸드백이 차지하고 있었다. 그녀는 주위를 둘러보고 미소를 짓더니 가만히 있다가 입을 열었다.

"이 강의 이름이 '문화와 문명'이라는 건 다들 알고 있겠죠. 하지만 불안해하지 마세요. 여러분한테 원그래프를 마구 던지지는 않을 거니까. 여러분 머리를 이런저런 사실로 꽉 채우려 하지도 않을 거예요. 거위 배 속에 사료를 채우듯이. 그래봐야 간만 부어올라 건강에 나쁘겠죠. 다음 주에 여러분한테 참고도서 목록을 나눠줄 텐데 읽고 말고는 전적으로 여러분의 선택에 맡겨요. 그걸 무시한다고 해서 점수를 손해 보지도 않을 거고 맹렬하게 파고든다 해서 점수를 더 따지도 못할 거예요. 당연히 여러분은 성인이고 나는 여러분을 성인으로 여기고 가르칠 겁니다. 교육의 최고 형태는, 그리스인이 알고 있었듯이, 협력이에요. 하지만 나는 소크라테스가 아니고 여기에는 플라톤이 모여 있는 게 아니죠. 그럼에도 우리는 대화를 나눌 거예요. 동시에―여러분은 이제 초등학교에 다니는 게 아니기 때문에―나는 나약한 사람을 달래려고 격려하거나 공허한 칭찬을 하지 않을 거예요. 여러분 가운데 몇 사람에게 나는 당연히 최고의 선생이 아니겠죠. 여러분 기질과 성품에 가장 잘 맞는 선생이 아니라는 의미에서. 그럴 사람들을 위해 미리 말해두는 겁니다. 물론 나는 여러분이 이 강의를 흥미롭게 여기기를, 사실 즐거워하기를 바라요. 그러니까 엄격한 즐거움이죠. 이 두 말은 양립 불가능한 게 아닙니다. 또 나는 그 대가로 여러분도 엄격하기를 기대해요. 준비 없이 대충 하는 건 맞지 않아요. 내 이름은 엘리자베스 핀치예요. 고맙습니다."

그리고 그녀는 다시 미소를 지었다.

우리 누구도 필기를 하지 않았다. 우리는 물끄러미 그녀를 마주 보았다, 일부는 경외감에 젖어, 소수는 짜증에 가까운 어리둥절함을 느끼며, 일부는 이미 반쯤 사랑에 빠져.

그녀가 그 첫 수업에서 우리에게 뭘 가르쳤는지는 기억나지 않는다. 하지만 막연하나마 내 평생 이번 한 번만큼은 제대로 찾아왔다는 것을 알았다.

그녀의 옷. 바닥에서부터 시작해 보자. 그녀는 브로그를 신었다. 겨울에는 검은색, 가을과 봄에는 갈색 스웨이드. 스타킹이나 타이츠―맨다리의 엘리자베스 핀치는 본 적이 없었다(물론 수영복을 입은 그녀는 상상도 할 수 없을 것이다). 치마는 무릎 바로 아래까지―그녀는 해마다 바뀌는 치맛단 높이의 압제에 저항했다. 실제로 그녀는 과거 어느 시점에 자신의 외양을 확정해 놓은 것 같았다. 여전히 유행을 따른다고 할 수는 있었지만, 10년이 더 흐른다면 골동품이, 아니, 어쩌면 빈티지가 될 수도 있었다. 여름에는 사각 주름치마, 대개는 군청색. 겨울에는 트위드. 가끔 커다란 은 옷핀(분명히 이걸 가리키는 특별한 스코틀랜드 말이 있을 텐데)을 보태 타탄이나 킬트의 느낌을 주었다. 블라우스에는 돈을 좀 쓰는 게 분명했는데 비단이나 고급 면이었고 종종 줄무늬가 들어갔지만 안이 비치는 일은 절대 없었다. 가끔 브로치를 달았는데 늘 작은 것이고 흔히 말하듯이 튀지 않았지만, 어쩐 일인지 환하게 빛나는 듯했다. 귀걸이는 거의 하지 않았다(귀를 뚫기나 했을까? 갑자기 궁금하다). 왼손 약지에는 은반지가 있었는데 우리는 그게 사거나 선물로 받은 것이라기보다는 물려받은 것이라 여겼다. 머리는 모래 빛이 섞인 회색이라고 할 수 있었고, 단정했으며 길이가 일정했다. 나는 그녀가 정기적으로 두 주에 한 번 시간을 정해서 미장원에 간다고 상상했다. 그래, 그녀는 인위人爲를 신봉했으니까, 우리한테 여러 번 말했듯이. 그리고 인위는, 이 또한 그녀가 말했듯이, 진실과 양립하지 않는 것은 아니었다.

우리—그녀의 학생들—는 20대 말에서 40대 초 사이였지만 처음에는 초등학교 꼬마로 돌아간 것처럼 그녀에게 반응했다. 그녀의 배경과 사생활이, 나아가 왜 결혼하지 않았는지—우리는 그렇게 알고 있었는데—또 정말로 안 한 건지 궁금했다. 저녁에는 뭘 하는지. 완벽한 핀제르브* 오믈렛을 만들고 와인 딱 한 잔을 마시며 (엘리자베스 핀치가 술에 취해? 세상이 뒤집히지 않고서야)《괴테 연구》최신 호를 읽을까? 공상으로, 심지어 풍자로 빠져드는 게 얼마나 쉬운 일이었는지 알 수 있을 것이다.

그녀는 내가 그녀를 안 기간 내내 담배를 피웠다. 하지만 이 또한, 다른 누구와도 다르게 피웠다. 니코틴이 뿜어져 나오는 모든 순간을 명백히 즐기는 흡연자가 있다. 자기혐오를

---

* 파슬리나 골파 등의 허브를 잘게 썬 향미료.

느끼며 빨아들이는 사람들도 있다. 일부는 자기 스타일을 보여주는 습관으로 그것을 과시한다. 또 일부는 짜증스럽게도 마치 자기가 중독을 관리하기라도 하는 것처럼 "하루에 딱 한두 대"만 피운다고 주장한다. 사실—모든 흡연자는 거짓말을 하기 때문에—"한두 대"는 늘 서너 대라는, 심지어 반 갑이라는 뜻이라는 게 드러나곤 한다. 반면 EF**는 자신의 흡연을 두고 어떠한 태도도 과시하지 않았다. 그것은 설명이나 꾸밈이 필요 없이 그녀가 그냥 하는 일이었다. 그녀는 담배를 거북딱지 갑에 옮겨 담았기 때문에 우리는 '상표 알아맞히기' 게임을 하게 되었다. 그녀는 흡연에 무관심한 것처럼 피웠다. 이게 말이 되는지 몰라도. 만일 그녀에게 물어봤다면 그녀는 변명을 갖다 붙이지 않고 말했을 것이다. 그래, 물론 중독이다. 또 그래, 몸에 나쁘다는 것, 또 반사회적이라는 것을 잘 알고 있다. 하지만 아니, 끊거나 하루에 몇 대 피우는지 세지 않을 거다. 그런 문제는 그녀의 관심 목록에서 아주 낮은 곳에 있었다. 그리고—이건 나 자신의 개인적 연역, 아니 그보다는 짐작이었지만—그녀는 죽음에 대한 두려움이 없었고 요즘에는 삶이 약간 과대평가되고 있다고 판단

** Elizabeth Finch의 두문자.

했기 때문에 그런 질문에 사실 아무런 관심이 없었고, 따라서 질문자도 관심이 없어야 마땅했다.

당연하게도, 그녀는 편두통을 앓았다.

내 마음의 눈—내 기억의 눈, 내가 그녀를 볼 수 있는 유일한 자리—에 그녀가 우리 앞에 불가사의할 만큼 꼼짝도 하지 않고 서 있는 게 보인다. 그녀에게는 우리를 매혹하거나 정신을 산만하게 하거나 자신의 성격을 암시하기 위해 만들어낸 강의자들 특유의 움직임 또는 기교가 전혀 없었다. 한 번도 팔을 이리저리 흔들거나 손으로 턱을 받치지 않았다. 이따금 어떤 점을 설명하려고 슬라이드를 띄우기는 했지만 그것은 대체로 불필요했다. 그녀의 고요와 목소리로 주의를 집중시켰기 때문이다. 그것은 수십 년 흡연으로 풍요로워진 차분하고 맑은 목소리였다. 그녀는 노트를 보다 고개를 들 때만 교류하는 그런 교사가 아니었다. 아까 말한 대로 그녀는 노트를 보고 강의하지 않았기 때문이다. 모든 게 완전히 정리된 상태로, 완전히 처리된 상태로 그녀의 머리 안에 있었다. 이 또한 강하게 주의를 끌었고, 그녀와 우리 사이의 거리를 좁혔다.

그녀의 말은 격식을 갖추었으며 문장구조는 문법에서 전

혀 벗어나지 않았다. 실제로 쉼표, 세미콜론, 마침표가 귀에 들릴 정도였다. 그녀는 문장이 언제 어떻게 끝날지 모르는 상태에서 시작하는 법이 없었다. 그러면서도 절대 책 읽는 것처럼 말하지 않았다. 그녀가 사용하는 어휘는 글을 쓸 때나 일반적인 대화를 할 때나 똑같은 단어 상자에서 나왔다. 그런데도 고리타분하기는커녕 말이 강렬하게 살아 있다는 느낌을 주었다. 또—아마도 자신의 재미를 위해, 또는 우리를 놀라게 하려고—이따금 색다른 표현을 사용해 분위기를 확 바꾸기도 했다.

예를 들어 어느 주에 그녀는 우리에게 『황금 전설The Golden Legend』 이야기를 하고 있었다. 중세의 기적과 순교를 모아놓은 그 유명한 책. 휘황찬란한 기적과 교훈적인 순교. 수업의 주제는 성 우르술라였다.

"한번 여러분 정신을 뒤로 돌려 서기 400년, 우리 땅에 기독교 헤게모니가 확립되기 이전으로 가보세요. 우르술라라는 브리튼의 공주, 기독교 왕 노투스의 딸이었죠. 지혜롭고 의무에 충실하고 독실하고 덕이 높았습니다—이 모두가 그런 공주에게 흔히 따라다니는 도덕적 장신구죠. 또 아름다웠는데, 이것은 더 문제가 되는 장신구입니다. 어쨌든 앵글리아 왕의 아들인 에테리우스가 우르술라를 사랑하게 되어 청혼을 했어요. 이 때문에 우르술라의 아버지는 고민에 빠졌습니다. 앵글족은 막강할 뿐 아니라 우상 숭배자들이었기 때문이에요.

우르술라는 그 전과 후의 많은 여자처럼 팔려 가는 신부였어요. 하지만 지혜롭고 덕이 높고 등등일 뿐 아니라 동시에 영리했습니다. 권력자 아들의 청혼을 받아들여도 좋다, 공주는 아버지에게 그렇게 자신의 뜻을 전달했어요. 하지만 시간이 걸릴 수밖에 없는 조건을 덧붙여 달라. 자신이 로마까지 순례를 다녀올 수 있도록 3년의 유예를 주고 그 기간에 젊은 에테리우스가 진실한 신앙을 배우고 세례를 받아야 한다. 이게 이 거래에서 장애 요인이 될 거라고 판단할 수도 있겠지만 사랑에 빠진 에테리우스의 생각은 달랐어요. 앵글리아 왕이 어떻게 생각했는지는 기록에 없습니다.

우르술라의 특이한 영적 모험 계획이 알려지자 생각이 비슷한 처녀들이 공주 곁으로 모여들었어요. 여기서 우리는 이 텍스트의 옹이에 이르게 됩니다. 많은 분이 알겠지만 우르술라는 처녀 만 천 명과 동행합니다. 베네치아를 잘 아는 분들은 카르파초가 이 이야기를 그린 연작 그림을 기억할지도 모르겠네요. 그런 단체 여행을 조직하다니, 그것도 미스터 토머스 쿡*이 태

---

* Thomas Cook(1808-1892). 근대 여행 산업의 선구자로 알려진 사업가.

어나기도 전에. 내가 말한 텍스트의 옹이는 M이라는 글자와 관련이 있습니다. 최초의 기록자가 그 글자를 무슨 뜻으로 썼을까? 1천이라는 뜻의 밀Mille을 가리키는 M일까, 아니면 순교자Martyr를 가리키는 M일까?** 어떤 분들은 후자의 독법이 더 그럴듯하다고 생각할지도 모릅니다. 우르술라에 처녀 순교자 열한 명을 더하면 열둘이 되고, 이것은 그리스도의 제자의 수이기도 하죠.

하지만 테크니컬러와 시네마스코프로, 카르파초가 대중화하는 데 크게 기여한 그 테크닉으로 이야기가 진행되도록 놓아두기로 합시다. 처녀 만 천 명이 브리튼을 떠납니다. 그들이 쾰른에 도착했을 때 주의 천사가 우르술라에게 나타나 로마를 떠난 뒤 우르술라 일행은 쾰른을 거쳐서 돌아가야 하며, 그곳에서 그들이 순교의 거룩한 관冠을 얻게 될 거라는 메시지를 전합니다. 이 최종 단계에 관한 소식이 만 천 명에게 퍼져 나가고 그들은 그 소식을 환영하며 흔들림 없이 황홀경에 빠집니다. 한편 브리튼에서는, 어디에나 존재하는 주의 천사 또 한 명이 에테리우스에게 나타나 쾰른에서 예비

** 몇몇 유럽어에서는 11,000을 말할 때 열하나의 천(영어라면 eleven thousand)으로 표현한다. 따라서 열하나 뒤의 M이 '1천'이 아니라 '순교자'를 가리킨다면, 순교자 열한 명이 된다.

신부를 만나야 하며, 그곳에서 그도 순교의 종려나무 가지를 얻게 될 거라고 말합니다.

우르술라는 가는 곳마다 사람들을 더 끌어들였지만 전체 수는 기록에 없어요. 로마에서는 다름 아닌 교황이 이 여성의 무리에 합류하고, 그 과정에서 중상中傷을 받고 파문당합니다. 또 한편에서는 악질적인 두 로마 지휘관이, 이 원정이 광란을 동반한 성공을 거두면서 기독교가 더 퍼져 나갈까 두려워하여 훈족 군대가 돌아가는 순례자들을 학살하도록 일을 꾸밉니다. 편리하게도 훈족 군대는 마침 그때 쾰른을 포위 공격하고 있었죠. 이런 서사적 우연의 일치와 천사의 개입은 참작해야 합니다. 이건 어차피 19세기 소설이 아니잖아요. 물론, 말하면서 생각해 보니, 19세기 소설에도 우연의 일치가 가득하지만요.

그래서 우르술라와 대규모 수행단이 쾰른에 이르자 훈족 군대가 공격하던 성은 내버려두고 '양 떼를 덮치는 이리들처럼 잔인하게'—이 표현은 서기 400년에도 이미 식상한 것이었죠—만 천 명 이상을 학살하기 시작합니다."

엘리자베스 핀치는 말을 끊고 강의실을 둘러본 뒤 물었다. "이 모든 걸 어떻게 이해해야 할까요?" 그러더니 정적 속에 자신의 답을 던졌다. "나는 이렇게 제안합니다. '경찰관을 이용한 자살.'"

엘리자베스 핀치는 결코 공적인 인물이 아니었다. 구글에서 검색해도 결과는 거의 나오지 않을 거다. 일이라는 면에서 그녀를 규정하라고 한다면 나는 그녀가 독립 연구자라고 말할 것이다. 완곡어법, 심지어 하나 마나 한 말로 들릴지도 모르겠다. 그러나 지식이 공식적으로 학교에 자리를 잡기 전에는 최고 수준의 지성을 갖추고도 개인적으로 자신의 관심을 좇는 남녀가 있었다. 물론 대부분 그들에게는 돈이 있었다. 어떤 이들은 기이했고, 소수는 공식적으로 미쳤다. 하지만 돈 덕분에 그들은 발표의 압박, 능가해야 할 동료, 만족시켜야 할 학과장이라는 부담 없이 여행하면서 필요한 것을 필요한 곳에서 연구할 수 있었다.

나는 엘리자베스 핀치의 재정 상태를 전혀 알지 못했다. 집안에 돈이 있거나 물려받은 게 있을 거라고 상상했을 뿐이다. 그녀는 웨스트 런던*에 아파트가 있었지만—나는 한 번도 발을 들여놓은 적이 없었다—검소하게 사는 것으로 보였다. 나는 그녀가 개인적이고 독립적인 연구 시간을 확보하고

---

* 부유층이 많이 사는 지역.

거기에 맞추어 가르치는 일을 조정했다고 생각한다. 그녀는 책을 두 권 냈는데 하나는 1890년에서 1910년 사이 런던 여성 무정부주의자에 관한 『폭발하는 여자들』이었고, 또 하나는 민족주의·종교·가족에 관한 『우리에게 필요한 신화들』이었다. 둘 다 짧았고 둘 다 절판 상태였다. 어떤 사람들에게는 이제 쓴 책을 구할 수도 없는 독립 연구자가 가소롭게 보일지도 모르겠다. 종신 교수직을 얻기는 했지만 차라리 입을 다물고 있는 게 나을 얼간이와 따분이 수십 명이 아니라.

그녀의 제자 몇 명은 이후 이름을 얻었다. 그녀는 중세사와 여성 사상에 관한 책 몇 권에서 감사 인사를 받았다. 하지만 그녀는 그녀를 아는 사람들만 알았다. 이것은 자명하게 들릴 수도 있다. 다만 요즘 같은 디지털 풍경 속에서는 친구와 추종자follower가 전과는 다른 희석된 의미를 갖게 되었다고 할 수 있다. 많은 사람이 서로 전혀 알지 못하면서도 안다. 그리고 그런 피상성에 만족한다.

내가 구식이라고 생각할지도 모르겠다(하지만 지금 내 이야기를 하자는 건 아니다). 엘리자베스 핀치도 더는 아니라 해도 똑같이 구식이라고 생각할지도 모르겠다. 하지만 구식이라 해도 보통의 의미, 즉 이제는 이울고 시들었다는 것이 드러난 진리를 갖고 살았던 이전 세대를 체현하고 있다는 의미

22

에서 구식은 아니었다. 어떻게 표현해야 할까? 그녀는 이전 세대가 아니라 이전 시대의 진리, 그녀가 생명력을 유지해주고 있지만 다른 사람들은 버린 진리에 따라 살았다. 이 말은 "그녀가 구식 토리당*원/자유주의자/사회주의자였다"라는 것과는 전혀 다르다. 그녀는 여러 면에서 그녀의 시대 바깥에 있었다. 그녀는 말한 적이 있다. "시간에 속지 말고 역사—특히 지성사—가 선형적이라고 상상하지 마세요." 그녀는 고결하고 자족적이고 유럽적이었다. 이 말을 쓰다가 멈춘다. 머릿속에서 그녀가 수업 시간에 우리에게 가르쳐준 게 들려오기 때문이다. "그리고 잊지 마세요. 전기나 역사책은 말할 것도 없고 소설에서도 어떤 인물이 형용사 세 개로 줄어들어 깔끔하게 정리되는 게 보이면 그런 묘사는 늘 불신하세요." 이것은 내가 따르려고 애를 써온 경험칙이다.

우리 동기는 이렇게 저렇게 어울리다 곧 우연과 의도라는 일반적 방식에 따라 그룹과 도당으로 나뉘었다. 수업 뒤에 무엇을 마시느냐도 나뉘는 기준 가운데 하나였다. 맥주, 와인, 맥주 그리고/또는 와인 그리고/또는 병에 든 다른 무엇이든, 과일 주스, 아무것도 안 마심. 맥주와 와인을 쉽게 왔다

* 영국 보수당의 전신.

갔다 하던 내 그룹은 닐(즉 나), 안나(네덜란드인, 따라서 이따금 잉글랜드인의 경박성에 격분했다), 제프(선동가), 린다(공부에서든 삶 자체에서든 감정적으로 불안정했다), 스티비(더 많은 것을 찾는 도시 계획자)로 이루어져 있었다. 우리를 묶는 끈 가운데 하나는 역설적이게도 우리가 어떤 것에서도 거의 의견 일치를 이루지 못한다는 점이었는데, 다만 어느 당 정부든 정권을 잡은 정부는 쓸모없다, 신은 거의 확실히 존재하지 않는다, 삶은 산 자들을 위한 것이다, 시끄러운 소리가 나는 봉투에 담긴 술집 안주는 아무리 많아도 부족하다는 생각만은 일치했다. 이때는 강의실에 노트북을 들고 가거나 강의실 밖에서 소셜 미디어를 보기 전으로, 뉴스는 신문에서 얻고 지식은 책에서 얻던 때였다. 더 단순한 시대였을까, 아니면 더 따분한 시대였을까? 둘 다였을까 아니면 둘 다 아니었을까?

"일신교monotheism." 엘리자베스 핀치가 말했다. "편집광monomania. 일부일처제monogamy. 단조로움monotony. 모노라는 말로 시작해서 좋은 게 없죠." 그녀는 말을 끊었다. "모노그램monogram*—허영의 표시죠. 외눈 안경monocle, 마찬가지. 단

---

* 합일 문자(주로 이름의 첫 글자들을 합쳐 한 글자 모양으로 도안한 것).

종 재배monoculture—유럽 농촌 사멸의 전조예요. 나도 모노레일monorail의 유용성은 인정할 준비가 되어 있어요. 많은 중립적 과학 용어가 있다는 사실 또한 인정할 준비가 되어 있죠. 하지만 이 접두사가 인간사에 붙을 때는…… 단일 언어 사용자monoglot, 폐쇄적이고 자기기만적인 나라의 표시죠. 모노키니monokini,** 의복으로서나 어원으로서나 경박해요. 독점monopoly—보드 게임을 말하는 게 아니에요—은 시간이 지나고 보면 늘 재앙이죠. 단고환증單睾丸症, monorchid, 동정하기는 하지만 바라지는 않는 상태. 질문 있나요?"

스스로 예스럽게 "마음의 문제"라고 부르는 것으로 자주 고생하는 것처럼 보이는 린다가 불안한 표정으로 물었다. "일부일처제는 어떤 점에 반대하시나요? 그게 사람들 대부분이 살고 싶어 하는 방식 아닌가요? 사람들 대부분이 꿈꾸는 것 아닌가요?"

"꿈을 조심하세요." 엘리자베스 핀치가 대답했다. "또 일반적 규칙으로, 사람들 대부분이 갈망하는 걸 조심하세요." 그녀는 말을 끊고 반쯤 미소를 머금고 린다를 보다가 그녀를 통해 반 전체에게 말했다. "강요된 일부일처제란 강요된 행

** 비키니의 아랫도리로만 된 수영복. 비키니는 첫 공개 원자폭탄 실험을 했던 비키니섬에서 따온 이름이다.

복과 마찬가지인데, 그건 우리도 알다시피 가능하지 않죠. 강요되지 않은 일부일처제가 가능해 보일 수는 있어요. 로맨틱한 일부일처제는 바람직해 보일 수도 있죠. 하지만 첫 번째는 보통 강요된 일부일처제의 한 형태로 다시 주저앉고, 두번째는 강박과 히스테리에 사로잡히기 쉽죠. 또 그렇게 해서 편집광에 가까워져요. 우리는 상호 간 열정과 공유된 편집광을 늘 구별해야 합니다."

우리는 모두 입을 다물고 그 말을 소화하고 있었다. 우리는 대부분 우리 세대의 평균적인 성과 연애 경험이 있었다. 즉 이전 세대의 의견으로 보자면 지나치게 많은 경험, 다음 세대의 다급한 관점에서 보자면 한심하게 적은 경험이 있었다. 우리는 또 그녀가 말하는 것 가운데 얼마나 많은 것이 개인적 경험에 기초하고 있는지 궁금했지만 아무도 감히 묻지 못했다.

칭찬할 만하게도 린다가 이 문제를 더 밀고 나아갔다. "그러니까 그게 모두 가망 없다고 하시는 건가요?"

"재치 있는 미스터 손드하임*이 어떻게 표현했더라?" 그러더니 엘리자베스 핀치는 실제로 반쯤 노래를 불렀다. "'하

---

* Stephen Sondheim(1930-2021). 미국의 작곡가, 뮤지컬 기획자.

나는 불가능하고, 둘은 따분해, / 셋은 안전하고 유쾌한 동아리.' 이것도 이 문제를 바라보는 한 가지 방법이죠, 분명히."

"그 말에 동의하신다는 건가요, 아니면 그냥 질문에 대한 답을 피하시는 건가요?"

"아니, 그냥 대안들을 제시하는 것뿐이에요."

"그러니까 에테리우스가 쾰른에 간 게 잘못이었다고 말씀하시는 거죠?" 린다는, 우리도 그때쯤에는 알게 되었지만 수업을, 심지어 중세 종교에 관한 수업까지도 매우 개인적으로 받아들이고 있었다.

"아니, 잘못은 아니에요. 우리 모두 우리에게 최선이라고 생각하는 것을 추구해요, 그게 우리의 소멸을 뜻한다 해도. 가끔은 특히 그게 소멸을 뜻하기 때문에. 우리가 원하는 것을 얻었을 때는, 또는 얻지 못한다 해도, 어차피 그때는 이미 너무 늦은 경우가 많죠."

"**그 말씀은** 별 도움이 되지 않아요." 린다가 훌쩍거림이 섞여 있지만 사나운 목소리로 말했다.

"나는 학생을 돕기 위해 고용된 게 아니에요." 엘리자베스 핀치는 단호하게 대꾸했지만 책망하는 말투는 아니었다. "내가 여기 있는 목적은 학생이 생각하고 주장하고 자신의 정신을 발전시키는 걸 지원하는 거예요." 그녀는 잠시 말을 끊었다. "하지만 에테리우스에 관해 물었으니 그의 경우를 생각해 봅시다. 우르술라의 약혼자로서 그는 그녀의 조건을 받아들였어요. 그녀가 로마까지 순례를 하는 동안 기독교 텍스트를 공부하고 그 진리를 믿고 세례를 받아 그녀의 종교에 입문하겠다는 것. 이 때문에 앵글리아의 왕이자 아주 악명 높은 이교도인 그의 아버지가 얼마나 화가 났을까, 우리는 알지 못합니다. 어쨌든 주의 천사가 에테리우스에게 나타나 쾰른에서 우르술라를 만나라는 지침을 주고, 그들이 그곳에서 함께 영광스럽게 순교하게 될 거라고 알려줍니다.

우리가 이걸 어떻게 이해해야 할까? 감정적인 수준에서 우리는 이걸 로맨틱한 사랑의 극단적인, 아니 광적인 사례로 볼 수도 있겠죠. 다른 입장에서는 여기에서 바그너적인 면을 드러낼 수도 있을 거예요. 신학적인 수준에서 그의 행동은 매우 무례한 형태의 새치기라고 볼 수도 있겠죠. 또 젊은 인간 남성에게 강요된 순결의 결과도 고려해야 해요—또 말이 나온 김에 젊은 인간 여성에게 강요된 것도. 그건 온갖 형태의 병적 행동으로 표현될 수 있죠. 이제 약혼 3년째인 우르술라와 에테리우스가 튜턴족의 검 앞에 목을 구부리고 창과 화살에 가슴을 내밀기 전에 혼인의 밤을 허락받았을까? 우리는 이것을 좀 의심할 수밖에 없어요. 사실 부부 사이의 전율

이 있었다면 그들의 마음이 바뀌었을지도 모르니까요."

나중에 학생 술집에서 우리 몇 명은 바로 독한 술로 진입해 버렸다.

나는 배우 훈련을 받았고 그 과정에서 첫 아내 조애나를 만났다. 우리 둘 다 똑같이 어설프나마 흔들림 없는 낙관주의의 소유자였다, 적어도 처음 몇 년은. 나는 텔레비전에서 작은 역들을 얻었고 내레이션을 했다. 우리는 함께 각본을 써서 연극계의 으르렁거리는 바람 속으로 내보내기도 했다. 우리의 레퍼토리에는 유람선에서 하는 2인조 공연도 있었다. 코미디, 주절거림, 약간의 노래와 춤. 나의 가장 꾸준한 수입원은 오랫동안 제작된 낮방송 드라마(아니, 유명한 건 아니다)에서 맡은 약간 불길해 보이는 바텐더 역이었다. 드라마가 종영된 뒤에도 오랫동안 가끔 사람들이 다가와 "있잖아요, 꼭 바텐더 프레디처럼 생겼네요, 무슨 드라마더라—「북서12도」?" 하며 말을 걸곤 했다. 그럴 때면 나는 정확한 제목은 「남동15도」라고 고쳐준 적이 절대 없고 그냥 미소를 지으며 한마디 던질 뿐이었다. "이상한 일 아닌가요, 이거, 그렇게 말하는 분이 아주 많거든요."

일자리가 말라버리면 레스토랑에서 일을 했다. 그러니까

웨이터였다는 말이다. 하지만 존재감이 있어, 아니, 있는 척할 수 있어 안내원으로 승진했다. 그러다 점차 배우 일자리를 기다리는 걸 그만두고, 그러다가 아예 배우 일을 그만두었다. 내가 식재료 공급자 몇 명을 알고 있어 조애나와 나는 시골에서 살기로 했다. 처음에는 버섯을 길렀고 나중에는 수경법으로 토마토를 길렀다. 우리 딸 해나는 이제 아이답게 자랑하는 말투로 "우리 아빠 텔레비전에 나온다" 하고 말하지 않고 용감하게도 "우리 아빠 버섯 기른다"에 똑같은 자부심을 집어넣으려 했다. 연기에서 나보다 성공을 거둔 조애나는 런던에 사는 게 자기 경력에 나을 거라고 판단했다. 그러니까 내가 런던에 살지 않는다 해도. 그래서 그걸로 끝이었다, 정말로. 그래, 지금도 텔레비전에서 그녀를 발견할 수 있다, 그녀가 종종 나오는 건 그…… 오, 젠장.

엘리자베스 핀치에게 내가 배우였다고 하자 그녀는 미소를 지었다. "아, 연기." 그녀는 말했다. "진정성을 생산하는 인위성의 완벽한 예." 그 말에 나는 기분이 좀 좋아졌다, 아니, 소중하게 여겨지는 느낌이었다.

EF는, 이제 우리는 사적으로 그녀를 그렇게 불렀는데, 평소처럼 핸드백을 교탁에 올려놓은 채 우리 앞에 서서 말했다. "적당한 행복에 적당히 만족하라. 인생에서 유일하게 분명하고 의심의 여지가 없는 건 불행이다." 그러고 나서 기다렸다. 우리는 알아서 해야 했다. 누가 감히 먼저 말을 할까?

그런 말을 한 사람이 누구인지 EF가 밝히지 않았다는 데 눈길이 갈 것이다. 그것은 의도적인 것으로, 우리 스스로 생각하는 걸 돕는 데 유용한 기교였다. 출처를 밝히면 우리는 먼저 그런 말을 한 사람의 삶과 작업에 관해 우리가 아는 것, 또 일반적인 통념에서부터 생각을 시작하기 마련이다. 그에 따라 경의를 표하며 고개를 숙이기도 하고 맞서기도 할 것이다.

그러지 않았기 때문에 우리는 활발하게 토론했고, 이 성숙한 회의주의—어쨌든 우리는 그렇게 보았다—에 아직 젊은 희망으로 맞섰고 마침내 그녀는 출처를 밝혔다.

"괴테. 우리 가운데 그보다 더 충만하고 더 흥미로운 삶을 살 사람은 거의 없겠죠. 그런데 그는 임종 때—당시 여든둘이었는데—평생 겨우 15분만 행복을 느껴보았다고 말했어요." 그녀는 우리를 향해 실제로 눈썹을 치켜올리지는 않았지만—그녀는 그런 몸짓은 하지 않았다—비유적인, 심지어 정신적인 눈썹은 치켜올렸다. 그래서 우리는 수업을 듣는 학생으로서 그것을 논제로 받아들여 위대한—또는 하찮더라도—지식인이 되면 불행할 수밖에 없는 운명인지, 또 임종에 이른 사람은 기억이 흐릿하기 때문에, 아니면 삶의 그런 중요한 면을 작게 보아야만 죽음을 받아들이는 게 쉬워지기 때문에 그런 말(우리에게는 명백히 진실이 아닌 것으로 들렸다)을 하는 것인지 토론하기 시작했다. 그때, 우리 나머지 학생들이 창피까지는 아니어도 순진하다고는 생각할 만한 말을 하는데 언제나 두려움이 없던 린다가 주장했다.

"괴테는 맞는 여자를 만난 적이 없었을 것 같아요."

다른 강사 앞이었다면 우리는 부담 없이 키득거렸을지도 모른다. 그러나 EF는 스스로의 생각에는 엄격하면서도 우리 생각이나 제안은 하찮거나 감상적이거나 대책 없을 만큼 자전적이라는 이유로 물리친 적이 없었다. 대신 우리의 시시껄렁한 작은 생각을 훨씬 흥미로운 것으로 바꾸어주곤 했다.

"물론 우리는 이 수업에서만이 아니라 밖에서도, 우리 자신의 격동적이고 안달 나는 삶에서도 우연이라는 요소를 고려해야 해요. 우리가 깊이 만나는 사람의 수는 이상하게도 적어요. 열정은 우리를 맹렬하게 현혹하기도 합니다. 이성도 똑같이 현혹할 수 있죠. 우리의 유전적 유산이 우리 오금줄을 쥐고 놓아주지 않을 수도 있어요. 우리 삶에서 이전에 있었던 사건들이 그럴 수도 있고요. 외상 후 스트레스 장애로 고생하는 사람은 야전의 병사들만이 아니에요. 그런 장애가 겉으로 보기에는 평범한 월하月下의 삶의 불가피한 결과인 경우도 많죠."

그 말에 린다는 자기 자신에게 약간 만족한 표정을 짓지 않을 수 없었다.

물론 이런 것들이 EF가 했던 말 그대로라고 장담할 수는 없다. 하지만 나는 목소리를 잘 알아듣는 귀를 가졌으며, 그녀가 말하는 방식을 재구성하면서 그녀를 희화화하지 않기를 바라고 있다. 나는 그녀가 말하는 내용이나 말하는 방식에 열심히 주의를 기울였는데 아마 그 전이든 후든 내 인생에서 그 정도로 주의를 기울인 적은 없을 것이다. 내 두 번의 결혼이 출발하던 시점에는 혹시 그랬는지 모르겠다. 하지만 그때는 EF가 방금 조언한 대로 "열정은 우리를 맹렬하게 현혹하기도" 했다.

그녀가 편안하게 마음의 삶에 관해 말하고 그것을 자연스럽게 '문화와 문명' 강의 안에 들여놓자 학기 첫 몇 주 동안 그녀는 풍자의 대상이 되었다. 사내애들—서른 살 먹은 남자들이라 해도—은 영락없이 사내애들이기 때문에 수군거리고 크게 깔깔대는 소리가 들리기 시작했다.

"그거 알아? 그 선생 핸드백이 활짝 열렸는데 안에 제임스 본드 소설이 들어 있더라고."

"지난주에 E 타입 재규어가 와서 태워 가는 걸 봤어. 운전하는 사람이 여자던데!"

"간밤에 우리의 리즈*를 데리고 나가 신나는 시간을 보냈지. 한두 잔 마시고 얼른 저녁을 먹고 클럽에 갔는데 가서 보니 춤 한번 화끈하게 추던데. 그리고 리즈 집으로 갔더니 리즈가 꼬불쳐 둔 걸 꺼내 조인트** 두 개를 말아주었고 그다음에"—이 대목에서 사내아이-남자의 얼굴에 능글맞은 웃음이 번졌을 수도 있다—"그다음에, 안 돼, 미안, 신사는 절대 입을 열면 안 되지." 상상할 수 있겠지만 신사가 실제로 입을 연 다른, 더 자세하고 저속한 이야기도 있었다.

그런 반응은 그녀의 침착성을 어떻게 상대해야 할지 모르는, 또 그녀의 권위에 당황한 아이들에게서 나왔다. 그들의 환상은 오해에 기인했을지 모르지만 동시에 엘리자베스 핀치에게는 어떤 자극적인 면이 있기는 있었다. 실제이거나 현존하는 게 아니라 해도, 잠재적으로라도. 나 자신도 생각이 제멋대로 움직이도록 놓아두면 가령 어두워지는 풍경을 가

* 엘리자베스의 애칭.
** 대마초를 가리키는 말.

로지르는 열차 일등 침대칸의 EF가 쉽게 떠오르곤 했다. 그녀는 비단 잠옷을 입은 채 창가에 서서 마지막 담배를 비벼 끄고 있다. 수수께끼의, 지금은 정체를 알 수 없는 동행자는 위층 접이식 침대에서 작게 코를 골고 있다. 그녀는 바깥, 볼록한 달 밑에서 비탈진 프랑스 포도밭이나 흐릿하게 빛나는 이탈리아 호수를 찾아냈을지도 모른다.

　물론 그런 환상은 환상의 대상보다는 환상을 품는 사람을 더 규정한다. 그들은 그녀가 찬란한 과거 또는 가상의 현재에서 실제로 살고 있는 삶에 대한 보상을 구한다고 가정하고, 나아가서 다른 모든 사람과 마찬가지로 그녀도 현재 어떤 식으로든 결핍과 불만이 있다고 가정했다. 그러나 이것은 사실이 아니었다. 우리 앞에 선 엘리자베스 핀치는 완성품이었다. 그녀 스스로 만들어낸 것, 그녀가 다른 사람들의 도움을 받아 만들어낸 것, 세상이 제공한 것의 합이었다. 단지 현재 표현된 세상만이 아니라 오랜 역사 속에 존재하는 세상이 제공한 것. 점차 우리는 우리의 엉성한 공상이 그녀의 독특함에 대한 초기의 불필요한 반응임을 이해하고 옆으로 밀어놓게 되었다. 그러자 노력을 전혀 하지 않는 것처럼 보이는데도 그녀는 우리를 모두 정복했다. 아니, 그건 딱 맞는 말이 아니다. 그보다 더 깊은 수준의 변화였다. 그녀는— 단지 모범을 보임으로써—우리가 우리 내부에서 진지함의 중심을 구하고 찾게 했다.

린다가 내 조언을 구하러 왔다. 이런 일은 나에게는 거의 일어나지 않는다. 나는 조언자 유형으로 보이지 않기 때문이다. 그런데 알고 보니 린다는 **EF의** 조언을 구하는 문제에 관해 내 조언을 구하고 싶은 것이었다. 나는 진짜 문제에 관해서는 일부러 묻지 않았다. 린다의 경우 그것은 어떤 감정적 드라마일 수밖에 없었기 때문이다. 게다가 나는 EF에게 조언을 구하는 것은 나쁜 생각이라고 보는 쪽이었다. EF가 수업에서 괴테의 사랑에 관해서는 기꺼이 논의할 수 있을지 몰라도, 그것이 강의실 바깥에서 학생에게 조언을 할 수 있다는, 할 용의가 있다는, 심지어 그래도 된다고 대학의 허락을 받았다는 뜻은 아니었기 때문이다. 그러나 나는 곧 린다가 사실 내 의견을 듣고 싶어 하는 것은 아님을 깨달았다. 아니, 자신이 이미 하기로 한 행동과 일치할 때만 내 의견을 들으려 했다. 어떤 사람들은 그런 식이다. 아니, 대부분이 그럴 것이다. 그래서 나는 그녀의 기분을 좋게 해주려고 입장을 바꾸어 그녀의 계획을 지지했다.

하루인가 이틀 뒤 학생 술집에 혼자 앉아 있는데 린다가 나타나 맞은편에 앉았다.

"EF는 멋졌어." 린다가 입을 열었다. 이미 눈물이 그렁그렁했다. "내 마음의 문제를 이야기했는데 아주 잘 이해해 주셨어. 손을 내밀어서 내가 있는 곳에 이렇게 가까이 내려놓았어." 린다는 그 장면을 그대로 흉내내 자기 손을 손등을 위로 해서 탁자에 얹었다. "그러더니 사랑이 전부라고 말씀하셨어. 중요한 건 그것뿐이라고." 그러더니 그녀는 — 그러니까 린다는— 울음을 터뜨렸다.

나는 이런 상황에는 잘 대처하지 못하기 때문에 "한 잔 더 가져올게" 하고 말했다.

바에서 돌아오자 그녀는 사라지고 없었다. 뒤에 남긴 것은 탁자 중간쯤, 그녀가 엘리자베스 핀치를 흉내 내 손을 올려놓은 곳의 축축한 손바닥 자국뿐이었다. 나는 그곳에 앉아 린다 생각을 했다, 아마도 처음으로. 린다가 불쑥 내뱉은 의견이라 해도 EF가 한 번도 그것을 가볍게 여긴 적이 없다는 사실 때문에 그녀를 더 진지하게 생각하게 된 것이기도 했다. 린다가 바라볼 때 그 눈길에는 뭔가 다급한 것이 있었다. 뭐가 다급할까? 그냥 일반적으로 다급한 것일까? 하지만 그녀의 손바닥 자국이 사라지듯 그녀에게 집중되었던 나의 관심도 흐려졌다.

"107년 전 바로 이런 봄, 한 위대한 화가가 죽음을 기다리고 있습니다. 즉시는 아니고 곧 다가올 죽음. 그는 그걸 알고 있습니다. 병의 마지막 단계가 나타난 이후 이제 마지막이 다가올 것임을 알고 있었죠. 그는 이미 휠체어를 떠나지 못합니다. 3기 매독은 여러 가혹한 방식으로 나타나지만 그는 적어도 화가에게 가장 가혹할 수 있는 방식은 면제받았습니다. 눈이 머는 것. 매일 아침 사람들이 싱싱한 꽃을 한 다발 크리스털 꽃병에 꽂아 가져왔습니다. 그는 꽃들을 이렇게 저렇게 꽂아보면서 즐거움을 느낍니다. 어떤 아침에는 그냥 꽃을 보면서 그게 물감으로 바뀌는 걸 상상합니다. 몸이 좀 괜찮으면 꽃꽂이 뒤에 그것을 그립니다. 그는 작업을 빨리하는데 이유는 분명하죠.

그는 덧없는 것을 포착하고 있습니다. 꺾은 꽃이 시들기 시작하기 직전의 그 순간에 매달리고 있죠. 우리는 꽃을 꺾음으로써 꽃이 더 빨리 죽게 합니다. 우리는 꽃을 그림으로써 꽃이 버려진 뒤에도 그것을 오래 보존합니다. 그 지점에서 예술은 현실이 되고, 원래의 꽃은 그저 짧은 시간 존재한, 이제는 잊힌 환영이 되죠.

우리는 그가 생각했을 만한 걸 생각해 볼 수도 있습니다. 예를 들어 모차르트 딜레마라고 알려지게 된 그 오랜 질문.

삶은 아름답지만 슬픈가, 아니면 슬프지만 아름다운가? 어쩌면 그는 그 질문을 우회하는 답을 찾았는지도 모릅니다. 예를 들어 이런 것. 삶은 아름답다, 더 말할 것도 없이tout court.

그러나 이런 상상을 공상적이고 감상적이라고 비난할 수도 있습니다. 여러분의 판단을 기다립니다."

갑자기 그녀 말의 자취가 사라지고 질문이 우리에게 되돌려졌다. 그래, 우리는 도대체 어떻게 생각하는가? 곧 우리는 예술이 현실의 묘사인지, 현실의 집약인지, 우월한 대체물인지, 아니면 그저 현혹만 할 뿐 현실과는 무관한 것인지 토론하고 있었다. 제프는 꽃병을 그리는 일의 사회적·정치적 목적을 알아야 한다고 다그치고 있었다. 우리 다수는 그저 이미 정리된 의견을 되풀이하거나 늘 애용하는 구절을 다시 인용할 뿐이었다("시는 어떤 일도 일어나게 하지 않는다"* 대 "우리는 세계를 영원히 / 움직이고 흔드는 자인 듯하다"***). 그러나 실제로 우리 가운데 일부는 실시간으로 스스로 생각하기 시작했다. 그런 일이 벌어지는 게 눈에 보였다. 그리고 돌이켜 생각하면, 당시 EF의 눈에 그게 어떻게 보였을지 안다 해도— 많은 경우 "스스로 생각하는 것"은 더 진실하고 깊은 생

---

* 시인 W. H. 오든의 시 「W. B. 예이츠를 기억하며In Memory of W. B. Yeats」에 나오는 구절.
** 시인 아서 오쇼너시의 시 「송시頌詩, Ode」에 나오는 구절.

각을 낳기보다는 하나의 통념idée reçue을 다른 통념으로 대체하는 결과를 낳았을 뿐이라는 것―그렇다 해도 그 과정은 그 자체로 귀중했다.

어린 시절 나는 좋아하는, 또 강한 기억을 남기는 교사, 수학이나 시나 식물학의 재미를 보여주는 동시에 성적인 면으로도 나에게 개입한다고 할 수 있는 교사를 만나본 적이 없었다. 그래서 엘리자베스 핀치를 만나고 알게 된 것에 더 감사했다. 실제와 비교할 때 영 부실한 말이기는 하지만. 그녀가 말한 대로 우리는 삶에서 늘 우연이라는 요소를 고려해야 한다. 삶에서 행운의 평균 할당량이 얼마인지 또는 얼마가 되어야 하는지는 알지 못하지만―이것은 답할 수 없는 질문이고, 또 어차피 여기에 "얼마가 되어야 한다" 같은 건 없는 게 분명하다―그녀가 나의 행운에 속했다는 것은 잘 알고 있다.

세월이 흐른 뒤 나는 점심을 먹으면서 그녀에게 이른바 모차르트 딜레마에 관해 물었다. 삶은 아름답지만 슬픈가요, 아니면 슬프지만 아름다운가요? 오늘의 파스타 두 접시를 사이에 놓고 그녀 맞은편에 앉아 있자니 마치 신탁을 구하고 있는 듯한 느낌이 들었다. "삶은 필연적인 동시에 불가피하죠." 그녀가 대답했다. 그 유명한 질문은 현혹하는 망상에 불과하다는 뜻이었다고 생각한다. 아닐 수도 있다.

나는 엘리자베스 핀치만큼 자기 연민이 없는 사람은 안 적이 없었다. 그녀는 자기 연민을 천하다—이것은 그녀가 도덕적 의미로만 사용하지 사회적 의미로는 한 번도 사용한 적이 없는 형용사였다—고 생각했을 것이다. 그녀 자신에 관해 말하자면 자기 연민이 없는 것은 그녀가 삶을 대하는 스토아철학적 태도의 일부였다. 그녀는 로맨스에서의 실망, 외로움, 친구들의 배신, 심지어 공적 망신 주기(이 이야기는 앞으로 나올 것이다)를 경험했지만—확실하게 알고 말하는 건 아니다—그런 것들을 차분하고 무관심하게 마주했다. "마주했다"라고 하면 겉모습, 또는 적어도 어떤 전략이 느껴질 수도 있지만 그녀의 스토아철학은 그녀 존재의 핵까지 장악하고 있었다. EF에게는 그것이 삶에 다가가는 유일한 정신적—그리고 기질적—방식이었다. 그녀는 완강하게 고통을 견디었고 절대 도움을 청하지 않았다. 그러니까 정신적 도움을. 그녀는 우리에게 어떤 말을 받아 적을 수 있는 속도로 인용한 적이 있는데 내 학생 시절 공책에 그 말이 적혀 있다.

어떤 일은 우리가 어떻게 해볼 수 있고 어떤 일은 우리가 어떻게 해볼 수 없다. 우리의 의견은 우리가 어떻게 해볼 수 있고, 우리의 충동, 욕망, 혐오—간단히 말해서 우리 자신에게서 비롯되는 모든 것—도 마찬가지다. 우리의 몸은 우리가 어떻게 해볼 수 없고, 우리의 소유나 평판이나 공적 직책도 마찬가지다. 즉, 우리 자신에게서 비롯되지 않는 모든 것이 그렇다. 우리가 어떻게 해볼 수 있는 일들을 하면 그 성격상 자유롭고 방해가 없고 막힘이 없다. 우리가 어떻게 해볼 수 없는 일을 하면 약해지고 속박되고 방해받는다. 그것은 우리 자신의 것이 아니다. 따라서 기억하라, 본성상 속박하는 것이 자유를 준다거나 네 것이 아닌 것이 네 것이라고 생각하면 좌절하고 비참해지고 화가 날 것이며 신과 사람 탓을 하게 될 것이다. 하지만 네 것만을 네 것이라 생각하고 네 것이 아닌 것은 그냥 있는 그대로 네 것이 아니라고 생각하면 아무도 너에게 강요하지 않고 아무도 너를 방해하지 않을 것이고, 너는 아무도 탓하지 않고 아무도 비난하지 않고 내키지 않는 일을 단 하나도 하지 않을 것이며, 너는 적이 없고 아무도 너를 해치지 않을 것이다. 해치려 해도 너는 전혀 해를 입지 않을 것이기 때문이다.

내 상상으로는, 처음 에픽테토스를 읽었을 때 그녀는 그가 말하는 진실이 계시를 준다기보다는 자명하다고 생각했을 것이다.

내가 사람들한테 그녀가 내가 아는 가장 어른스러운 사람이라고 말할 때 그 말은 그녀의 모든 행동과 생각 안에 원칙이 실제로 박혀 있지는 않다 해도, 그 뒤 아주 가까운 곳에는 자리 잡고 있다는 뜻이라고 생각한다. 반면 내 경우—대부분의 사람의 경우—우리 원칙은 우리가 하는 일과 우리가 하는 말에 그저 스쳐 가는 정도의 영향을 줄 뿐이다.

우리는 로맨티시즘을 낙관주의와 연결하는 경향이 있다, 안 그런가? 그러나 그녀는, 내 생각에, 로맨틱한 비관주의자였다.

그녀가 했던 말 또 하나. 죽은 자는 우리에게 우리 말이 틀렸다고 말할 수 없다. 오직 살아 있는 자만 그럴 수 있다. 하지만 그들은 거짓말을 하는 것일 수도 있다. 따라서 나는 죽은 자를 더 신뢰한다. 이게 괴상한가, 아니면 분별력이 있는 건가?

여기에 덧붙여. 왜 우리는 집단적 기억—우리가 역사라고 부르는 것—이 개인적 기억보다 틀릴 가능성이 적을 거라고 기대하는 걸까?

"우리는 일어날 수도 있었지만 일어나지 않은 일을 일어난 일과 마찬가지로 늘 염두에 두어야 해요. 왜냐, 그렇게 물을 수도 있겠죠. 일어난 일은 일어난 일이고 그게 우리가 감당해야 하는 건데. 어쩌면 아닐 수도 있습니다. 그리고 이건 단지, 가령 슈타우펜베르크*의 폭탄이 히틀러를 죽였다면? 같은 재미나는 사후 가정 게임을 하자는 게 아닙니다. 이건 진지한 탐문이기도 합니다. 우리는 너무 쉽게 역사를 일종의 다원주의로 본다, 라고 말하고 싶습니다. 적자생존, 물론 이때 다윈이 가장 강한 자, 또는 심지어 가장 영리한 자를 적자라고 한 건 아니죠. 그저 변하는 환경에 적응할 준비를 가장 잘 갖춘 자일 뿐입니다. 하지만 실제 인간 역사에서는 그렇지가 않아요. 생존하거나 우월하거나 군림하는 자는 더 잘 조직되고 더 큰 총을 휘두르는 자들에 불과합니다. 죽이는 데 더 유능한 자들이죠. 평화를 사랑하는 나라가 승리하는 일은 거의 없습니다. 물론 관념에서는 승리할 수 있지만, 관념은 총구로 뒷받침되지 않으면 진짜로 이기는 일이 거의 없죠. 그건 한탄할 일인데, 우리 모두 동의하겠지만, 그걸 인정하지 않는 건 태만한 거겠죠. 그걸 인정하지 않으면 우리는 그저 두 손 놓고—또 뇌도 놓고 앉아 '패자의 것은 승자에게로'라는 말을 받아들여야 하는데, 이건 곧 '진실은 승자에게로'라는 뜻이 되기도 하기 때문입니다.

---

* Claus von Stauffenberg(1907-1944). 히틀러 암살을 시도한 독일군 장교.

정말로, 예를 들어 에트루리아인이 로마인보다 열등했다고 생각하나요? 그들이 세상에 더 좋은 영향을 줄 수 있지 않았을까요? 알비파 이단이 그들을 그렇게 무자비하게 탄압한 중세 로마 교회보다 더 계몽되고 더 정의로웠다는 것을 보지 못하나요? 세계 전역에서 토착 부족을 모두 말살한 그 모든 백인 정착자가 피해자보다 도덕적으로 우월했다고 생각합니까? 또 우리가 '암흑시대'라고 부르던 것이 지금은 '빛'으로 가득했다고 인정받고 있는 걸 생각해 보세요. 일어날 수도 있었을 일의 두드러진 두 가지 예로 두 율리아누스의 사례를 생각해 봅시다. 로마의 마지막 이교도 황제인 '배교자' 율리아누스, 그는 기독교라는 재앙의 큰 물결을 막으려 했죠. 또 그보다 덜 알려진 에클라눔의 율리아누스. 그는 성적 본능을 찬양까지 하지는 않았다 해도 그것에 관대한 입장이기는 했죠. 사실, 존중했습니다. 그게 본성이고, 따라서 하느님이 심어준 것이라고 생각했으니까요. 나아가서—교회의 눈에는 훨씬 심각한 일이었지만—원죄라는 교리에 기대지도 않았습니다. 교회는, 여러분도 기억하겠지만, 아기에게서 원죄, 즉 불가피하게 물려받은 죄를 씻어내기 위한 세례의식을 정해놓았습니다. 지금도 하고 있죠. 에클라눔의 율리아누스는 그런 게 하느님의 의도라고 믿지 않았습니다. 그러나 안타깝게도 그는 세대에서 세대로 이어지는 영원한 오염이라는 관념, 그와 더불어 성에 대한 누그러들지 않는 죄책감을 인정하고 강조한 성 아우구스티누스에게 밀려났습니다. 이런 교리 분쟁의 결과를 상상해 보고 또 아우구스티누스가 승리하지 않았다면 세상이 어땠을지 상상해 보세요."

엘리자베스 핀치는 잠시 말을 끊고 몇몇 학생의 마음을 읽었다. "하지만 아니, 나는 우리가 재미있게 '신나는 60년대'라고 부르는 시대처럼 되었을 거라고 생각하지는 않아요."

이 수업 뒤에는 술집에서 덜 고상한 토론을 했고 익살을 부리며 지저분한 에피소드를 교환했다. 그러나 이것은 2학기의 일이었고, 우리의 작은 그룹은 종종 그러듯이 균열을 일으키고 있었다. 내 관점에서 보면 제프가 지겨운 녀석이 되어가고 있었고 나는 그의 EF에 대한 습관화된 반감이라고 여겨지는 것에 짜증이 났다. 또 린다와 나 사이에 뭔가 어색한 게 있었는데 나는 그것을 이해할 수 없었다. 내가 알아낼 수 있었던 건, 그게 A가 B에게 속을 털어놓은 다음에 속을 털어놓는 것을 받아주었다는 이유로 B를 탓하는 경우였다는 거다. 어쨌든 그 비슷한 것? 그리고 세 번째 요인이 있었다. 안나.

그녀는, 이미 말한 것 같지만, 네덜란드 사람이었다. 약

163센티미터의 키에 짧은 머리카락은 머리에 착 달라붙어 이마를 직선으로 가로질렀으며, 일종의 별종이었고, 좀 특이한 방식으로 상대를 바라보았는데 딱히 도전적이라 할 수는 없었지만 자신과 이야기를 할 때는 좀 더 노력을 하는 게 좋을 거라고 말하는 듯한 인상을 주었다. 또 그렇게 노력하면 그녀는 그것을 알아보고 감사하곤 했다. 나는 첫 번째 결혼에서 두 번째 결혼으로 넘어가는 이행기에 있었으며(물론 그때는 그런 식으로 표현하지 않았겠지만), 가벼운 험담과 교묘한 조종을 경험할 때마다 내가 결혼에서 벗어난 이유를 다시금 깨닫곤 하는 주말 아버지였다. 특별히 어떤 사람이나 어떤 걸 찾고 있지는 않았다. 여자는 친구로서 좋아했다. 특히 어떤 식으로든 나를 조종하려 하지 않을 때. 특히 나에게 더 많은 것을 기대하는—위협적이지 않은 방식으로—네덜란드 사람일 때.

안나는 처음 영어로 "가벼운 섹스casual sex"라는 표현을 보았을 때 그게 오자인 줄 알았다.

"왜?"

"S와 U."

나는 여전히 알아듣지 못했다.

"인과관계의causal sex 섹스."

"그게 뭐야?"

"원인이 있는 섹스."

"섹스란 게 언제나 이유가 있는 거 아닌가? 설사 그 이유가, 그래, 그냥 섹스를 하고자 하는 것이라 해도?"

"나는 그게 그냥 섹스를 하고자 하는 이유와는 다른 이유가 있는 섹스를 뜻하는 줄 알았어. 대의,* 더 큰 목적을 위한 섹스. 물론 사랑해서 하는 섹스도 있을 거고, 아니면 세상을 탐사하고 싶어서 하는 섹스. 나라의 인구가 줄기 때문에 하는 섹스."

여행으로서의 섹스? 공민 의무로서의 섹스? 어쩐 일인지 나는 이게 매우 네덜란드적이라고 생각했다. 또 좀 사랑스럽기도 하고.

우리는 서서히 일종의 공모 관계로 옮겨 갔다. 수업 뒤에 그룹보다는 둘이 마시고. 또 영화, 산책, 미술관, 서점. 그러니까 소박한 작은 단계들.

몇 주 이렇게 지내다가 나는 거의 머리를 맞댄 상태에서 말했다. "우리가 서로 인과관계의 섹스를 하는 게 좋은 일일 수도 있다고 생각해?"

---

* cause라는 말에는 원인이라는 뜻도 있고 대의나 명분이라는 뜻도 있다.

그녀는 얼굴을 내 얼굴 쪽으로 돌렸다. "그거 오자야?"

"아니."

"뭐, 네가 진심으로 한 말이기만 하다면."

나는 진심이라고 했다, 내가 뭐에 달려들고 있는 것인지도 잘 모르면서.

엘리자베스 핀치는 수업이 정해진 양의 정보를 전달하고 토론하고 확정하기 위해 별도로 할당된 시간이라고 보지 않았다. 그녀는 자신이 우리 앞에 늘어놓은 생각들을 우리가 수업 후에도 계속 소화하는 것을 좋아했다. 그래서 우리가 함께하는 시간은 더 자유로운 형식, 더 끝이 열린 만남이 되었다.

"선생님은 단종 재배를 언급하셨는데요." 제프는 그녀가 우리에게 모노mono 목록을 주고 난 몇 주 뒤에 말했다. "저는 선생님이 그것에 왜 반감이 있는지 모르겠습니다. 그게 능률의 표시, 성공적인 중앙 계획의 표시인 건 분명하잖아요."

"그렇게 보일 수도 있죠." 그녀가 대답했다. "그리고 그 이점은 유혹적인 듯합니다. 하지만 우리가 약간 으스대면서 좋았던 옛 시절이라고 부르는 시대로 돌아가 봅시다. 사람들 대부분이 짧은 거리를 이동하던 때. 사람들은 근처 읍내에

장을 보러 갈 때를 빼면 평생 마을을 떠나지 않는 경우도 많았어요. 외지에서 온 사람을 보는 일은 거의 없었죠. 여행객, 번지르르한 물건을 팔러 오는 행상인, 징집 장교, 도둑 정도였겠죠. 이때 사람들은 자족적이었고 또 그래야만 했습니다. 힘든 겨울에 대비해 먹을 걸 저장했죠. 독립적이지는 않았어요. 당연히 그들을 통치하는 체제가 있었으니까요―사제, 치안판사, 대지주 등. 감성적으로 나아가려는 건 아닙니다만 그들은 잔인한 주인이 될 수 있었습니다. 즐거운 잉글랜드*니 뭐니 하는 바보 같은 소리를 믿어서는 안 되죠. 어쨌든 삶은 수백 년 동안 그런 식으로 계속되었어요.

그러다 유럽 전역에 철로가 깔렸습니다. 그 주된 기능이 무엇이었을까요? 그건, 러스킨과 플로베르 둘 다 지적하듯이, 사람들이 A에서 B로 가는 걸 허락하여 다른 위치에 있는 사람들이 똑같이 멍청해지게 하는 것이었습니다. 둘이 한 말을 내 식으로 바꿔서 표현한 겁니다. 흔히 테크놀로지의 진보가 도덕적 혜택을 가져올 거라고 가정합니다만 철로는 아무런 혜택도 가져오지 않았습니다. 인터넷도 그러겠죠. 도덕적 혜택은 전혀 없어요. 그렇다고 비도덕이 늘어난다고 말하

* 옛날부터 잉글랜드를 부르던 호칭.

는 건 아닙니다. 오히려 그런 경이로운 테크놀로지는 도덕적으로 중립적이에요. 기차는 식량을 기아에 시달리는 사람들에게 가져다줄 수 있습니다. 똑같이 총, 또 총알받이를 더 빨리 전선에 가져다줄 수도 있고요.

하지만 학생이 물은 건 단종 재배였죠. 먼저 농업적 의미에서부터 그 말을 생각해 봅시다. 예전의 폐쇄적인 마을과 읍은 먹거리나 옷가지나 필요한 물건을 스스로 생산했습니다. 그런데 철로가 다른 먹거리와 옷가지와 물건을 다른 가격으로 가져왔어요. 아주 빠르게—시장의 법칙은 또 도덕적으로 중립적이기 때문에—사람들은 전통적으로 스스로 생산하던 것을 더 싸게 살 수 있다는 걸 알게 되었습니다. 그래서 농촌은 점점 단종 재배를 하게 되었죠. 저 매력적인 프로방스의 마을과 읍을 보세요. 갑자기 다른 지역에서 생산된 와인은 더 저렴하다는 것을 알게 되었습니다. 반대로 곡식은 다른 지역으로 보내면 값이 더 나갈 수도 있죠. 이 사람들은 이제 자족적이지 않습니다. 그래서 포도밭이 포도나무뿌리진디의 공격을 받거나 밭이 병충해나 폭풍의 공격을 받으면 동네가 다 굶게 되었습니다. 그 바람에 다른 사람들의 선의나 이해타산에 의존하게 되었죠. 하지만 이 다른 사람들은 다른 데 정신이 팔려 있거나 무관심하거나, 나아가 노골적으로 반감을 드러낼 수도 있었습니다. 나는 지금 여러분이 모르는 이야기를 하는 게 아닙니다."

그녀는 종종 이런 식으로 우리를 과대평가했다. 그러면 우리는 우쭐했다. 돌이켜 보면 그것은 다 알면서 계산적으로 한 말일 수도 있다. 그래도 우쭐하게 만드는 건 사실이었다.

"단일 작물 재배를 뜻하는 이 모노컬처monoculture라는 말은 다르게, 더 넓게 이해할 수도 있습니다. 민족이라는 맥락에서의 단일 문화. 과거 유럽이나 그 너머의 민족국가들—무엇이 그걸 규정하나요? 물론 인종과 지리죠. 정복과 제국. 또 순수나 예외주의와 관련된 얼빠진 생각들. 「라 마르세예즈」*에 나오는 가사를 떠올려보세요. 내가 번역해 볼게요. '불순한 피가 우리의 밭고랑에 흐르게 하라.' 순수, 피. 거기에 물론 종교, 그리고 그 안에서 경쟁하는 모든 단일 문화. 우연히 며칠 전 저녁에 『히틀러의 탁상 담화』를 읽고 있었는데, 그의 말에 따르면 세상에는 중요한 종교가 170개가 있고—있었고—그 모두가 자신이 유일한 진리의 보고라고 주장했습니다. 따라서 그 가운데 169개는 틀릴 수밖에 없겠죠."

EF가 뭐든 정치적인 것으로 접근하려 하면 늘 긴장하고

* 프랑스 국가國歌. 원래 프랑스혁명 때의 혁명가였다.

의심을 품었던 제프가 물었다. "히틀러를 우리 참고도서 목록에 넣는 건가요?"

"기억하겠지만," EF가 차분하게 대답했다. "내 목록은 전적으로 선택이에요. 각 수업 과정에서, 바라건대, 학생들이 익숙하지 않지만 읽고 싶을 수도 있는 책을 제시할 거예요."

"하지만 선생님은 지금," 제프가 약간 공격적인 태도로 말했다. "우리한테 히틀러를 읽으라고 제안하는 거잖아요?"

"나는 우리와 반대되는 사람이나 우리가 반대하는 사람과 익숙해지자고 제안하고 있어요. 살아 있는 인물이든 죽은 인물이든, 종교적 반대든 정치적 반대든, 심지어 일간신문이든 주간 잡지든. 네 적을 알아라―단순하고 설득력 있는 규칙이죠―심지어 죽은 적이라 해도, 그 적이 쉽게 부활할 수도 있으니까. 또 어떤 위대한 작가의 표현대로, '이 괴물들이 우리에게 역사를 설명해 준다'."**

그러나 제프는 물러서려 하지 않았다. "우리 아빠는 전쟁에서 죽었는데 지금 나더러 히틀러를 읽으라는 겁니까?"

그게 내가 엘리자베스 핀치가 침착한 태도를 잃는 것을 본 유일한 때였다. 그럼에도―당연한 일이지만―그녀는 자기 나

** 왜 네로나 사드 후작에게 관심을 갖느냐고 묻자 프랑스 소설가 플로베르가 답한 말.

름의 방식으로 잃었다. 그녀는 살짝 고개를 돌려 마침내 제프를 마주 보고 대답했다. "학생의 상실은 안타깝습니다. 하지만—어떤 식으로든 등급을 매기고 싶지는 않지만—알고 보면 히틀러는 학생 가족보다 내 가족을 훨씬 더 많이 죽였을 거라고 생각해요. 오늘은 여기까지."

그리고 그녀는 걸어 나갔고 가는 길에 교탁에서 핸드백을 집어 들었다. 아무도 먼저 말을 하고 싶어 하지 않았다. 결국 제프는 호전적이라기보다는 당황한 말투로 말했다.

"저 선생이 유대인이란 걸 내가 어떻게 알 수 있었겠어?"

우리 누구도 대답하지 않았다.

그녀가 우리에게 처음 말했을 때 끌어왔던 소크라테스적 이상에 우리가 도달하기는 했는지 나는 알 수 없다. 하지만 우리는 그녀에게 이끌려서 용기를 내어 우리 지성을 이용해볼 수 있고 경멸당할 두려움 없이 이론을 세워볼 수 있다고 느꼈다. 그렇다고 그녀가 이론을(또는 말이 나온 김에, 경멸을) 다루었다는 것은 아니다. 이론에 가장 가까이 다가갔다고 해봐야 경구警句로 일반화를 하는 정도였다. 그녀가 가르치는 일에서 매력과 재치를 이용했다고 말한다면 마치 조종을 한 것처럼, 심지어 다 알면서 유혹을 한 것처럼 들릴지도 모르겠다. 음, 그녀는 사실 유혹적이기는 했다. 다만 관습적인 방식으로 그랬던 것은 아니다.

어느 날 저녁 그녀는 우리에게 베네치아 이야기를 하다가 카르파초가 그린 일련의 그림을 설명했다. 그러다 그녀는 갑자기 방향을 틀었다.

"물론 우리는, 모든 것이 똑같다고 할 때, 낙오자, 피해자, 패배자, 말살된 자의 편에 서야 해요, 그렇지 않나요?" 그녀는 다시 스크린을 올려다보았다. "'게오르기우스와 용'의 경우―어차피 주사위에 신학적인 납이 박혀 있는* 대결이죠―도덕적으로 지각 있는 인간이라면 누구나 분명히 가엾은 용에게 공감해야 해요."

우리는 묵직하게 무장한 게오르기우스의 창이 짐승의 입을 꿰뚫고 들어가 두개골 뒤로 빠져나오고 이 미래의 성인이 구출하러 온 독실한 공주는 뒤에 있는 바위에서 기도하고 있는 그림을 보고 있었다. 용은 비늘로 덮여 있어 무시무시하기는 했지만 사실 성자의 말만 한 크기였다.

"이건 우월한 신앙보다는 우월한 무기의 예를 보여준다는 것에 여러분이 동의할지도 모르겠습니다."

---

* 주사위에 납을 넣는 것은 주사위 게임에서 한쪽이 이기도록 승패를 조작하는 방법이다.

늘 흔들어놓기를 갈망하는 제프가 말했다. "하지만 그건 성 게오르기우스인데요—선생님은 별로 애국적이지 않네요,* 이렇게 말해도 좋을지 모르겠지만."

"물론 좋죠, 제프. 하지만 수많은 성 게오르기우스가 있다는 사실, 수많은 나라와 도시에 수호성인이 있다는 사실, 그리고 이 대결이 벌어지는 사막 풍경이 잉글랜드의 정원은 아니라는 사실을 생각해 주기 바라요. 더 넓은 관점에서 보자면 여기에서 우리의 목적은 단순한 애국주의를 넘어서는 것입니다. 우리는 「희망과 영광의 나라」**의 가사를 분석할 수는 있지만 그걸 부르지는 않을 거예요."

내가 무슨 말을 하는지 알겠는가? 그녀는 우리가 뻔한 것으로부터 벗어나도록 우아하게 이끌면서 우리를 교정해 주었지만 깎아내리지는 않았다.

"또 배경에 있는 저 도시를 떨게 만든—전경에 있는 피해자들의 잘려 나간 신체 부위를 보세요—이 가엾은 용이 단지 야생의 어떤 극단적인 예, 무리에서 벗어나 난폭하게 날뛰는 인도의 코끼리보다 훨씬 무서운 예가 아니라는 사실도 생각해 보세요. 이 용은 상징적이에요. 그는 이교도의 땅 카

* 게오르기우스의 영어식 표기는 조지이며, 성 조지는 잉글랜드의 수호성인이다.
** 영국의 비공식 국가의 하나.

파도키아에 살고 있고 또 그 땅을 대변하는데, 게오르기우스가 그곳에 이르러 근육질의, 아니 그보다는 군사적인 기독교의 힘을 입증하려 해요. 이 영적 스토리보드***를 계속 보다 보면 이 용을 길들이는 게 곧바로 이 땅 전체가 기독교로 개종하는 사건으로 이어진다는 것을 알게 됩니다. 따라서 카르파초가 여기에서 우리에게 보여주는 것은 액션 영화의 한 장면인 동시에 매혹적인 선전물입니다. 기독교라는 종교의 성공 비결 한 가지는 늘 최고의 영화제작자를 고용한 것이죠."

그녀가 우리에게 한 가지 가르쳐준 게 있다면 역사는 길게 보아야 한다는 것, 나아가서 역사는 무기력하게 혼수상태로 누워 우리가 크고 작은 망원경을 들이대기를 기다리는 게 아니라 활동적이고 들끓고 가끔 화산처럼 폭발한다는 것이었다. 흔히 말하는 '인격 형성기'가 그녀에게는 아마 50년대였을 텐데 그녀는 계몽주의 시대나 서기 4세기를 대변하지 않았듯이 그 시기도 대변하지 않았다. 어떤 고대의 여신처럼—그래, 나도 내가 지금 무슨 말을 하고 있는지 안다—시간에서 비켜나, 아니 어쩌면 시간 위에 서 있는 것처럼 보였다.

*** 영화 등의 줄거리를 보여주는 일련의 그림이나 사진.

"실패가 성공보다 우리에게 많은 것을 말해주고, 깨끗한 패배자보다 지고 나서 뒤끝이 있는 사람이 우리에게 많은 것을 말해준다고 주장하고 싶네요. 나아가서 배교자가 늘 진실한 신자보다, 거룩한 순교자보다 흥미롭습니다. 배교자는 의심의 대변자이고, 의심은—생생한 의심은—활동적인 지성의 표시죠. 전에 '배교자' 율리아누스 이야기를 했습니다. 우리가 영국 사람이라는 걸 고려하여 시인 스윈번을 진입점으로 삼아도 좋겠네요. 앨저넌 찰스 스윈번, 빅토리아 여왕 시대 가치에 맞서 항거했다는 점에서 그 자신이 배교자였죠. 물론 감상적인, 심지어 히스테릭한 배교자라는 말도 덧붙여야겠지만. 채찍질이라는 잔인한, 동시에 어떤 사람들에게는 즐길 만한 관행이 심신 양쪽에 모두 자국을 남긴 잉글랜드 명문 기숙학교 학생의 또 하나의 예죠. 그는 전통적인 영국인의 붕괴 경로들을 쫓아다녔는데, 그보다 한 급 낮은 시인 시어도어 와츠-던턴이 구출해 주었습니다. 와츠-던턴은 그를 퍼트니의 퍼트니 힐 11번지에 있는 더 파인즈로 데려갔고, 스윈번은 이 교외 별장에서 맨정신으로 살았습니다. 운명은 그런 식으로 아이러니를 구사합니다. 여러분도 동의할 수 있지 않을까요? 개심한 죄인은 물론 빅토리아 여왕 시대에 애용되던 비유입니다—그랬다고 나아진 건 없지만. 약간 샛 길로 빠졌네요.

스윈번은 시 「프로세르피나* 찬가」에서 다음 같은 기억에
남을 2행 연구 시를 썼죠.

그대가 이겼다, 오 창백한 갈릴리인이여. 세상은 그대의 숨으로
잿빛이 되었구나.
우리는 레테**의 물을 마셨고 죽음을 배불리 먹었다.

창백한 갈릴리인은 물론 나사렛 예수인데, 이 구절은 '배
교자' 율리아누스가 전장에서 쓰러져 죽어가면서 한 말로
여겨집니다. 이교도에 대한 기독교의 승리를 인정하는 유명
한 마지막 말이죠. 실제로 율리아누스는 결국 최후의 이교도
황제가 됩니다. 신문— 적어도 이교도 신문— 기사였다면 '불
굴의 영웅'이라고 부를 만한 인물이죠. 그는 학자이자 군인
이었어요. 갈리아***로 원정을 나갔을 때 에우세비아 황후는
그에게 전투하는 틈틈이 철학을 공부할 수 있도록 장서를 챙
겨주었죠. 묘하게도 스윈번은 그의 이름을 부르지 않아요. 대

* 그리스 신화의 페르세포네.
** 그리스신화에서 지옥에 흐르는 망각의 강.
*** 로마 시대에 프랑스 지역을 일컫던 말.

신 시의 제목에서 프로세르피나라는 이름을 사용하는데, 그 녀는 고대 세계에서 다른 무엇보다도—신들은 여러 가지 일을 하는 걸로 유명하죠—로마의 여신이자 '수호자'였어요. 이 여신은 이제 다른 보호자로 바뀔 참이었죠. 그리스도의 어머니 마리아로. 마리아는 이후 계속 이 도시를 관장하게 됩니다.

율리아누스의 말이 영적 패배의 우아한 인정을 뜻하는 거라고 읽을 수도 있을 겁니다. 깨끗한 패배자 율리아누스. 하지만 전혀 그렇지 않아요. 스윈번은 이전의 수많은 유명한 선배와 마찬가지로 이 순간을 유럽사와 문명이 잘못된 길로 들어선 매우 불행한 순간으로 파악합니다. 그리스와 로마의 옛 신들은 빛과 기쁨의 신들이었죠. 사람들은 다른 삶은 없다고 알았고, 따라서 이곳에서, 무無가 우리를 가두기 전에 빛과 기쁨을 발견해야 했습니다. 반면 새로운 기독교인은 어둠, 또 고통과 예속을 좋아하는 하느님에게 순종했어요. 이 하느님은 빛과 기쁨이 오직 사후에 자신의 사탕 과자 같은 천국에만 존재하며, 거기에 이르는 길은 슬픔, 죄책감, 공포로 가득하다고 선포했죠. '우리는 죽음을 배불리 먹었다', 바로 그겁니다. 그런 문제에서 율리아누스와 스윈번은 생각이 같았죠."

"물론," EF는 말을 이어갔다. "우리는 늘 자기 연민을 피하려고 노력해야 합니다. 1600년 뒤에 태어나면서 서기 363년 페르시아 사막에서 모든 게 잘못되어 우리한테 불리한 패가 주어졌다고 상상하게 되면 '이건 내 탓이 아니에요, 선생님' 하고 외칠 수도 있습니다. 하지만 그보다는 다른 모두가 똑같이 그렇게 느끼고 있다고, 따라서 내가 받은 패가 정상이라고 믿는 게 낫죠. 역사적 자기 연민도 개인적 자기 연민과 마찬가지로 매력이 없습니다."

그 점에 관해서는 아무도 엘리자베스 핀치를 비난할 수 없었다.

그녀의 테크닉 또 하나는 수업을 시작하면서 그냥 어떤 특정한 주제에 관해 우리가 무엇을 아는지 물어보는 것이었다. 이것은 무시무시한 순간이 될 수도 있었다. 과연 우리가 무엇에 관해서든 뭘 알기는 했을까? 우리는 어떤 것에 관해서도 전문가라고 할 수 없었다. 하지만 그녀는 격려하는 방식으로 접근했다. "틀린 답이란 없어요, 모든 답이 틀렸다 해도." 이것이 그 특정한 날의 주제 '노예제와 노예제 폐지'를 제시하면서 그녀가 자신의 태도를 표현한 방식이었다.

우리의 답을 합쳐서 표현해 보겠다. 소피 샘의 아버지 윌

리엄 윌버포스*. 해리엇 비처 스토. 수정헌법 13조와 에이브러햄 링컨. 처음으로 아프리카 바깥 영국에 노예를 판 노예 무역상. 일부 무역상은 아프리카인, 일부는 아랍인이었다. 전 세계에 공통적으로 존재했던 노예 소유. 반노예 법을 집행하기 위해 공해를 순찰하다 선박을 정지시키고 수색하던 영국 해군. '재산'을 잃은 보상을 받은 노예 소유자, 노예 생활을 했던 사람에게는 아무런 보상 없음(제프).

"네." EF가 말했다. "아주 좋아요." 그 말은 우리 대답이 대체로 자신이 예상하던 것이라는 뜻이었다. 연도 몇 개 좀 말해볼까요. 수정헌법 13조가 나온 해. 모르나요? 1865년. 독립선언문? 맞아요, 1776년. 필그림 파더스**가 플리머스록에 상륙한 해? 대학 퀴즈의 밤에 모인 학생들처럼 약간 열띤 토론. 1620년, 아주 좋습니다. 마지막 질문. 첫 노예들이 영국 식민지로 옮겨진 해? 이들은 포인트 컴포트***라는 아이러니 섞인 곳에 상륙했죠. 모르나요? 아직 몰라요? 그녀는 잠시 말을 멈추었다. "1619년."

---

* 소피 샘은 19세기 영국의 주교 새뮤얼 윌버포스의 별명이며, 그의 아버지는 유명한 노예제 폐지론자였다.

** 메이플라워호를 타고 가 신대륙에 정착한 영국 청교도.

*** Point Comfort. 위로의 곳이라는 뜻. 미국 버지니아주에 있다.

그녀는 잠시 말을 이어가지 않고 우리 스스로 생각하고 계산할 시간을 주었다. 예를 들어 노예와 영국인이 아메리카에 함께 도착했고, 영국인이 그 대륙에서 미국인보다 거의 두 배나 길게 노예를 데리고 있었다는 것.

"그것을 생각하면 더 넓은 곳으로 옮겨가게 됩니다." EF에게는 늘 더 넓은 곳이 있었다. "에르네스트 르낭, 위대한 19세기 프랑스 역사학자이자 철학자는 이렇게 쓴 적이 있어요. '나라로 존재하려면 자기 역사를 잘못 알아야 한다.' 괜찮다면 그가 하지 않은 말에도 주목해 보세요. 그는 이렇게 말하지 않았어요. '나라가 되려면 자기 역사를 잘못 알아야 한다.' 이것도 맞는 말일 수 있지만 상당히 덜 도발적이죠. 우리는 여러 나라가 기대고 있고 또 열심히 전파하는 창건 신화에 익숙해요. 점령한 권력에 대항한, 귀족과 교회의 압제에 대항한 영웅적 투쟁의 신화, 피를 흘려 자유라는 약한 식물을 기른 순교자들을 탄생시킨 투쟁의 신화. 그러나 르낭은 그런 투쟁 이야기를 하는 게 아니에요. 르낭은 나라로 **존재하려면** 자기 역사를 잘못 알아야 한다고 말합니다. 다른 말로 하면 우리는 우리나라가 대변한다고 생각하는 것을 믿기 위해 항상, 매일, 작은 행동과 생각, 또 큰 행동과 생각에서 우리 자신을 속여야 해요. 위안을 주는 잠자리 동화를 늘 반복하듯이. 인종과 문화의 우월성에 관한 신화. 자비로운 군주, 오류가 없는 교황, 정직한 정부에 대한 믿음. 우리가 태어나면서 갖게 된, 또는 선택하게 된 종교가 정말 공교롭게도 저 밖에 있는 이방의 수많은 신조와 신앙 가운데 유일하게 진실한 것이라는 가정.

실제의 우리와 우리가 우리라고 믿는 것 사이의 이런 어긋남은 자연스럽게 민족적 위선의 문제로 이어지는데 영국인은 이런 위선의 유명한 예입니다. 하지만 영국의 위선을 말하는 다른 나라 사람들 또한 자기 나라의 위선 때문에 어쩔 도리 없이 눈이 멀어버린 상태죠."

묘하게도 안나와 내가 처음 언쟁한 것이 이 수업 뒤였다. 이번에는 학생 술집에서 우리 그룹과 함께 있었다. 그로 인해 이 일은 공적인 것이 되었고, 그래서 더욱더 부식성이 컸다. 그리고 그녀가 먼저 시작했다.

"내가 말하는 건, 나는 개인적 책임을 느끼지 않는다는 거야."

"하지만 너희도 제국이 있었잖아, 노예도 있었고."

"다른 유럽 나라들도 다 마찬가지였어. 심지어 좆 같은 벨기에도."

나는 평소라면 귀엽게 여겼을 그녀의 불안정한 모음에 웃음을 터뜨렸다.

"걔네가 최악이었지, 벨기에." 나도 동의했다. "콘래드.『암흑의 핵심Heart of Darkness』."

"하지만 나는 어쨌든 좆 같은 벨기에 사람은 아니야."

"음, 집단적 책임 같은 거는 없다고 생각해?"

"있지." 제프가 끼어들었다. "엘리자베스 핀치가 아주 좋아하는 일기 작가가 이끌던 독일 사람들의 경우처럼."

이 개입에 우리 둘 다 짜증이 났다.

"나는 우리나라 군인과 상인이 내가 태어나기 수백 년 전에 한 일에 책임을 느끼지도 않고 책임도 없어. 그때 내 조상은 네덜란드의 가장 가난한 지역 한 곳에서 노예와 동등한 존재로 살고 있었어."

"A) 네 조상은 사람들이 내키는 대로 사고 팔고 강간하고 고문하고 죽일 수 있는 노예는 아니었어. B) 자기 조상이 끔찍한 범죄의 대상이 되었고 그로 인한 고통을 여전히 느끼는지 아닌지 우리에게 말해주는 건 노예 후손이 할 일 아닐까?"

"잘한다, 닐. 우리가 이제 너를 좌파로 만들어줄게."

"씨발 꺼져, 제프."

하지만 나는 그를 보지 않았다. 안나만 보고 있었다. 다른 사람들은 입을 다물고 있었다.

"내가 억지로 책임감을 느끼게 **만들** 수는 없어. 또는 죄책감을. 나는 죄 없어. 미안. 이걸로 끝이야."

"나는 네가 어떤 걸 하거나 되게 만들려는 게 아니야. 너는 그냥 그대로의 너야."

"알려줘서 고마워. 내가 나인 걸 허락해 줘서 고마워. 네가 신성시하는 엘리자베스 핀치가 인용하기 좋아하는 말이 뭐더라? '어떤 일은…….'"

그리스도여, 이제 **그녀**마저 EF를 공격하고 있었다. "어떤 일은 우리가 어떻게 해볼 수 있고 어떤 일은 우리가 어떻게 해볼 수 없다. 에픽테토스."

"나도 그게 좆 같은 에픽테토스라는 걸 알아. 그러니까 내가 하는 말은 네덜란드의 노예제, 너는 그거에 관해 거의 아는 게 없을 거라고 보지만, 그 노예제는 내가 어떻게 해볼 수 있는 일이 아니고, 네가 그런 일로 만들 수도 없다는 거야."

"그렇게 만들려고 하지 않는다니까."

"아니긴 뭐가 아니야."

우리는 술을 남긴 채 자리를 떠, 각자의 길로 갔다. 어쩌면 모든 말다툼은 사실 다른 문제가 원인일지 모른다, 흔히들 말하듯이. 어쨌든 돌이켜 보면 그게 우리에게는 전환점이었다.

엘리자베스 핀치에게 배우던 해가 끝날 때 우리는 에세이를 제출해야 했다. 마음대로 쓰면 되지만 우리가 함께 보낸 시간에서 끌어낸 주제와 연결할 수도 있었다—아니, 연결해야 했다. 그녀가 "그렇게 하고 싶다면 여러분의 사고 과정을 보여줄 수도 있겠죠" 하고 심술궂게 덧붙인 기억이 난다. 우리는 이 이야기를 많이 하지 않았는데 아마도 아이디어를 도난당할 것을 염려했기 때문이었을 것이다. EF가 가르치는 방식은 우리를 자극했지만 동시에 우리 자신의 뇌로 생산할 수 있는 독창적인 생각이 얼마나 적은지도 분명하게 보여주었다.

나는 아무것도 제출하지 못했다. 거창한 관념 몇 가지—역사적 진실의 허약성, 인격의 허약성, 종교적 믿음의 허약성 등—를 산만하게 집적거렸지만 한두 문단 이상을 쓴 기억은 없다. 그런 것 대신 나의 관심을 차지하게 된 것은 인간관계의 허약성과 결혼의 허약성이었다. 나는 이혼한 지 두 해쯤 되어가고 있었으며 깨끗한 법적 결별이라는 관념이 미망임을 발견하고 있었다. 상처, 원한, 경제적 고통—이 모든 것은 계속된다. 또 아무리 정신이 멀쩡한 사람이라 해도 변호사의 간단한 편지 한 통, 새 상담사와 한 번의 만남, 아이의 장래를 두고 어른스럽게 토론하기로 하고 한 번 만난 것으로도 강박에 사로잡히고 복수심에 불타고 자기 연민에 빠지기—다른 말로 제정신을 잃기—십상이다. 자세한 이야기를 들어야 하는 고통은 덜어주겠다. 나 자신에게도 그 이야기를 하는 고통을 덜어주고 싶기 때문에.

나는 EF를 찾아가 나의 뇌와 더불어 심장 한 조각이 몇 주 동안 종적을 감추어버렸다고 최선을 다해 설명했다.

"죄송합니다." 나는 마지막에 말했다. "선생님을 실망시킨 느낌입니다."

나는 그녀가 나를 위로할 거라고 은근히 기대하고 있었다. 그러나 그녀는 조용히 말했다. "틀림없이 일시적일 거예요."

나는 자기중심적으로 그녀가 나의 이혼 후 위기를 염두에 두고 그 말을 한다고 생각했다. 나중에야 내가 그녀에게 실망을 주었지만 그게 일시적일 거라고 말한 것임을 깨달았다. 또 내가 미래에 어떤 식으로든 나에 대한 그녀의 믿음이 옳았음을 보여줄 거라는 것도. 이런 일은 종종 일어났다. 그녀가 무슨 말을 했는데, 나는 그 말을 이해하지 못하지만 기억은 하고 있다가, 세월이 흐른 뒤에야 마침내 무슨 뜻이었는지 깨닫게 되는 경우.

나는 대담한 사람이 아니다. 내 인생에서 대담한 걸로 오해될 수도 있는 결정들(결혼, 이혼, 혼외자를 둔 것, 한동안 외국에서 산 것)은 사실 신경과민이나 겁 때문이라고 보는 게 타당할 것이다. 우리 삶에서, 그 철학자가 선포한 대로, 어떤 일은 우리가 어떻게 해볼 수 있고 어떤 일은 어떻게 해볼 수 없으며, 자유와 행복이 이 두 범주의 차이를 인식하는 데 달려 있다면 내 인생은 그런 철학적인 방식과는 정반대였다. 나는 나 자신이 통제하에 있다는 생각과 모든 것이 가망 없고 나의 한계를 완전히 넘어서 버렸다, 이해와 삶 양쪽에서 그렇게 되었다는 깨달음 사이에서 시소를 타고 지그재그로 움직였다. 그래, 대부분의 사람이 그렇듯이, 아마도.

나는 EF의 기대를 저버렸다. 그녀가 한 가지만 하라고 요구했지만 하지 못했다. 그런데 그녀는 그녀 특유의 방식으로 용서하고 있었다. 그녀는 내 기분이 상하게 하지 않았다. 그래서 나는 자리를 뜨려고 몸을 돌리다 말고, 신경과민(그녀를 두 번 다시 보지 못할지도 모른다는 두려움 때문에 생긴)에 사로잡힌 나머지 나도 모르게 그녀의 눈을 피하며 말하고 있었다.

"이건 정말 적당치 않은 말인지도 모르는데……."

"그런데요?"

"하지만 혹시…… 그러니까…… 우리가 언젠가 한잔할 수도 있을까요…… 아니면 뭐…… 점심이라도?"

이제 나는 그녀를 보았고, 그녀는 미소를 짓고 있었다.

"나의 소중한 닐, 물론이죠. 점심이, 내 생각에는, 더 즐거울 것 같네요."

그렇게 해서 내 삶의 또 다른 부분이 시작되었다. 우리는 1년에 두세 번 웨스트 런던에 있는 그녀의 집 근처 작은 이탈리안 레스토랑에서 만나곤 했다. 루틴은 분명했다, 한 번도 입밖에 내어 말한 적은 없지만. 나는 정각 1시에 도착하고 그녀는 거기 앉아 담배를 피우고 있다. 함께 오늘의 파스타, 그린 샐러드를 먹고 화이트와인 한 잔과 블랙커피를 마신다. 한번은, 만남이 시작되었을 무렵, 내가 평소의 경로에서 벗어나 사슴고기 에스칼로프를 시켰다. "그거 어때요?" 그녀가 테이블 건너에서 몸을 기울이며 진지하게 물었다. "실망스러워요?" 점심은 75분 동안 지속되고 늘 그녀가 돈을 낸다. 내가 앉으면 그녀는 "그래, 오늘은 무슨 소식을 가져왔나요?" 하고 물어 나에게 먼저 이야기를 시작하는 부담을 안겼지만 그건 괜찮았다. 나에게 75분밖에 없다는 걸 알았기 때문에 나는 주제 선택에 신중해야 했을 뿐 아니라 그 시간에 어떤 방법을 찾아—아니, 무조건—나의 지성을 농축해야 했다. 나는 그녀 앞에서는 더 똑똑해졌다. 더 많이 알았고, 더 설득력을 갖추었다. 그녀가 기분 좋게 해주려고 필사적이었다.

앞서 말한 대로 그녀는 어떤 면에서도 공적 인물이 아니었고 또 그렇게 되기를 바라지도 않았을 것이다. 그녀는 기질로 보나 적성으로 보나 명성과는 거리가 멀었다. 그녀가 그런 걸 고려나 해본 적이 있을지 의심스럽다. 한번은 그녀가 클리오는 그리스에서 역사의 뮤즈이고 보통 책이나 두루마리를 손에 들고 나타나는 것으로 그려지는 "반면, 우리의 좀 더 계몽된 시대에 클리오상賞은 합중국에서 우수한 광고에 주는 것"이라고 말한 기억이 난다. 또 클리오는 수금을 연주하는 뮤즈인데 광고에서 우수한 능력을 보여준 사람들이 일렬로 늘어선 수금 연주자들의 세레나데를 듣는지 의심스럽다고. 그녀의 태도는 익살맞고 심술궂은 것이었으며, 따라서─어쨌든 우리에게는─ 으스대거나 속물적인 게 아니었다. 그것은 또, 자신의 시대에 주창되는 가치에 넘어가지 마라, 하고 말하는 하나의 방법이기도 했다.

나는 점심을 먹다가 한번 왜 성인을 가르치는 일을 더 좋아하게 되었는지 물은 적이 있다.

"나는 호기심이 없는 사람에게는 흥미가 없어요." 그녀가 대답했다. "역설적으로 젊은 사람일수록 자기 확신이 더 강해요. 그들의 야망은 외부인의 객관적인 눈에는 모호해 보이지만 자신들에게는 선명하고 성취 가능해 보이죠. 반면 성인의 경우…… 일부는 그저 즉흥적으로 등록하기도 하지만 대부분은 삶에서 결핍을 느끼기 때문에 와요. 자기가 뭔가 놓쳤을지도 모른다는 느낌, 그런데 이제 상황을 바로잡을 기회—어쩌면 아마도 마지막 기회—가 왔다는 느낌. 나는 그게 대단히 감동적이라고 생각해요."

나는 우리 동기들이 처음에 그녀에게 어떻게 반응했는지 돌아보았다. 어떤 경외감, 초기의 꽤 많은 침묵과 어색함, 어떤 말로 표현되지 않는 재미. 그 모든 것이 곧 진짜 온기로 바뀌었다. 또 그녀를 보호하는 듯한 분위기로 바뀌었다. 어떤 면에서 우리는 그녀가 세상에 적합하지 않다고, 고결함 때문에 상처받기 쉽다고 느꼈기 때문이다. 이것은 선심 쓰는 척하는 태도와는 상관없었다.

나는 또 그녀가 성인 학생들을 묘사한 방식이 내 경우에 바로 그대로 적용된다는 것을 깨달았다. 나중의 일이지만. 분명히 그것이 내가 학위를 받은 후에도 그녀를 놓지 않고 싶었던 이유이기도 했다. 또, 아마, 그녀가 그것을 허락한 이유이기도 했을 것이다.

나는 가끔 그녀를 기쁘게 하려고 고집을 굽혔지만 그녀는 불화를 피하려고 생각이나 의견을 수정하는 법이 절대 없었다. 나는 이것에 익숙해졌다. 그래야 했다. 한번은 어떤 정치적 추문에 대한 대중의 반응에 관해 이야기를 하다가 내가 사람들이 탓할 사람을 찾는 것은 정상이라고 주장한 적이 있다.

"정상이라는 게 좋다는 뜻은 아니죠." 그녀가 말했다.

"하지만 탓할 사람이 있으면 어떻게 해볼 수가 있잖아요."

"예를 들어?"

"투표로 그 자리에서 쫓아내거나."

"정부를 바꾸면 달라지리라는 건 되풀이되는 망상이에요."

"그건 절망에서 나온 조언이죠."

"아니, 현실주의에서 나온 조언이에요. 내가 절망한다고 생각해요?"

"아니요. 하지만 선생님이 선거 때마다 투표했다는 것도 장담할 수 있습니다."

"그게 효과가 없을 것임을 분명히 알면서도 하는 거죠."

"그런데 왜 투표를 하나요?"

"시민의 의무. 그렇게 기대되고 있으니까."

그 지점에서 나는 약간 열을 받았다. "믿을 수 없을 만큼 선심 쓰는 척하는 것으로 들리는데요."

"누구한테?"

"그…… 어, 나머지 유권자한테."

"내가 그들의 희망이나 꿈과 그 이후의 실망을 완전히 공유해야만 한다는 건가요? 정치가의 주요 기능은 실망을 주는 거예요."

"그건 믿을 수 없을 만큼 냉소적으로 들리고요, 아시겠지만."

"나는 그렇게 생각하지 않아요. 나는 냉소주의자가 아니에요."

"그럼 뭔데요?"

"나 자신에게 어떤 딱지를 붙일 만큼 허영심이 크지 않아요."

그녀는 평소와 마찬가지로 초자연적일 만큼 차분했다. 가끔 나는 그것 때문에 당황했다. 그녀는 그냥 나를 갖고 노는 것일까? 아직도 나를 가르치려는 것일까?

"그러니까 냉소주의자가 아니군요. 그럼……무정부주의자?"

"지적으로, 나는 거기에 매력을 느껴요. 현실적으로, 그건 절대 먹히지 않겠죠, 인간이 굽은 목재 같다는 걸 고려할 때."

"그러니까 우리한테 어떤 조직하는 권력이 필요하다는 건 받아들이는 거죠?"

"그걸 가질 수밖에 없다는 건 받아들여요, 싫든 좋든."

"또 입헌 민주주의가 우리가 지금까지 발견한 가장 덜 나쁜 체제라는 것도?"

"그렇게 말하는 건 민주주의자겠죠, 안 그래요?"

"그러니까 선생님은 냉소주의자나 무정부주의자가 아닌 거네요. 그럼…… 에피쿠로스파?"

"그 사람은 물론 아주 지혜로운 심리학자였죠."

"저는 선생님이 스토아학파라고 생각해요."

"그건 정말이지 매력적인 자리예요."

"그게 선생님을 미늘에서 벗어나게 해주기 때문에?"

"나의 소중한 닐, 지금 조금씩 모욕에 가까워지고 있네요."

"죄송합니다, 나는……."

"오, 전혀 불쾌하지 않아요. 그냥 논쟁에서 지고 있을 때 모욕에 의존하는 일이 매우 흔하다는 걸 지적했을 뿐이에요. 그리고 닐은 나에게 딱지를 붙이려고 노력하고 있어요. 하지만 나는 배의 침상 밑에 밀어 넣는 트렁크가 아니에요."

나는 기죽지 않고 마지막 시도를 해보았다. "좋아요, 그럼, 음, 선생님은 페미니스트인가요?"

그녀는 나를 보고 미소를 지었다. "물론―나는 여자예요."

그녀와 직선적인 대화를 나누는 게 얼마나 힘든지 이제 알겠는가? 아니, 이것도 모욕이다, 라는 걸 깨닫게 된다. 내 말은, 나에게, 또 나 같은 사람들에게 그녀와 대화를 나눌 때 그것을 주도하거나, 심지어 동등한 자리에 서는 게 얼마나 힘든지 이제 알겠느냐는 거다. 그녀가 그걸 교묘하게 조종하기 때문이 아니라—그녀는 내가 만나본 여자 가운데 그런 교묘한 조종과 가장 거리가 먼 사람이었다—더 넓게, 다른 지평과 초점으로 사물을 검토하기 때문이었다.

이제, 바라건대, 내가 왜 그녀를 흠모했는지 알게 되었기를 바란다. 또 나는 그녀가 나보다 훨씬 똑똑하다는 사실을 흠모했다. 내가 이런 말을 안나에게 했을 때—딱 그대로—그녀는 나를 지적인 마조히스트라고 불렀다. 나는 그 딱지가 싫지 않았다.

이 뒤늦은 단계에서도 물어볼 가치가 있는 질문. 처음에 나는 엘리자베스 핀치가 로맨틱한 비관주의자라고 생각했지만 지금이라면 로맨틱한 스토아철학자라고 부를 것이다. 이 두 위치가 양립 가능할까? 둘이 공존 가능하거나, 하나가 다른 것의 결과일까? 나는 EF는 원래 고결한 로맨티시스트로 출발했으나, 삶이 그녀에게 불가피한 실망을 안겨준 뒤 스토아철학자가 되었다고 단정하고 싶은 유혹을 느낀다. 그렇다고 나한테 무슨 진짜 증거가 있다는 건 아니다. 하지만 그녀가 한때 약혼했다가 등기소*에 가는 길에 차였다면 어떨까? 또는 긴 시간 푹 빠졌다가 갑자기 배신당해 강렬한 환멸에 사로잡혔다고 상상할 수도 있다. 그런 서사는 논리적인, 아니 '자연스러운' 설명을 제공할 수도 있지만 동시에 심리적으로는 진부할 것이다. 진부함은 EF가 문제가 될 때는 열쇠가 되는 일이 거의 없다. 나는 그녀가 가슴과 머리가 발전하면서 평행선이 뻗어나가듯 로맨티시스트이자 스토아철학자가 되었다고 믿는 쪽을 선호한다. 흔치 않은 일이라고? 있을 법한 일이 아니라고? 그래, 하지만 그녀 자신이 흔치 않고 있을 법하지 않았다.

나와 안나의 연애는 1년여 지속되다가 내재한 비대칭성 때문에 무너졌다. 처음에 우리가 서로에게 끌린 이유─그녀의 강렬함, 나의 차분함─가 달리 보이게 되었다. 전자는 감상으로, 후자는 감정적 나태로. 진짜 피해라 할 만한 것은 없었다. 물론 이런 말이야말로 감정적 나태로 비난받는 사람의 입에서나 나올 만한 것이겠지만, 아마도. 하지만 우리는 그런

---

* 여기에서 비종교적인 결혼식을 올리기도 한다.

상황에서도 서로 좋아했고 계속 그런 상태를 유지했다.

나는 처음에 안나에게 EF와 함께 먹는 점심 이야기를 하지 않았다, 왜냐하면―뭐, 그냥. 다들 어떤 친구들에 대해서는 독점욕이 강하고 어떤 친구들에 대해서는 그렇지 않지 않나. 그러다 어느 날 이야기를 했다. 곧 EF를 볼 예정이었기 때문이다. 그 만남이 어떤지, 어떻게 짜여져 있는지, 우리가 어디서 만나는지, 그녀가 뭘 먹고 마시는지 묘사할 때도 안나는 특별히 관심을 보이는 것 같지 않았다.

"아주 좋겠네." 안나가 말했다. "두 사람 모두."

"그래. 뭔가 특별해."

"그런데 왜 전에는 이 이야기를 하지 않았어?"

"오 어디 보자, 모르겠네. 어떤 것들은 그냥 혼자만 알고 있기도 하잖아, 안 그래?"

"너는 그러지." 그녀의 말투에는 귀에 익은 날이 서 있었다. 하지만 나는 이제 그녀의 감정에 책임을 질 필요가 없었고, 그래서 화제를 바꾸었다.

이틀 뒤 EF가 파스타를 다 먹어갈 때쯤 누가 우리 테이블로 의자를 들이밀었다.

"같이 앉아도 될까요?" 안나는 그렇게 말하면서 이미 앉고 있었다.

"안나, 정말 반갑네." EF는 이런 끼어듦이 그녀에게는 늘 일어나는 일이고, 늘 환영한다는 듯이 차분하게 말했다.

"그냥 다시 뵈면 좋을 거라고 생각했어요. 무척 좋아 보이시네요."

"고마워요, 안나. 안나도 좋아 보이네요."

예의를 차리는 의미 없는 인사가 몇 마디 더 오간 뒤 EF는 자리에서 일어섰다.

"그럼 둘이 함께 있을 수 있도록 나는 이만 가는 걸로." 그녀는 안토니오와 잠깐 이야기를 나눈 뒤 뒤돌아보지 않고 레스토랑을 나갔다.

"**씨발** 도대체 뭔 짓을 하고 있다고 생각해?"

"다시 저분을 보고 싶었어. 여긴 자유국가잖아, 안 그래?"

"늘 그렇진 않아."

그 순간 안토니오가 다가왔다. "시뇨라 핀치 말이 뭐든 원하는 걸 주문하면 내일 자기가 내겠답니다."

나는 격분하면서도 내 분노에 당황했다. 안나는 마치 내가 터무니없을 만큼 독점욕이 강한 데다가 더럽게 깐깐하게 굴고 있는 반면 자신은 평소의 따뜻하고 즉흥적인 자기 모습 그대로라는 듯이 반응했다. 나아가서 마치 자신과 EF의 관계도 어쨌거나 내 관계만큼이나 유효하다는 듯이 말하고 있었다. 어쨌든 나는 "다시는 이런 짓 하지 마"라거나 "그러니까 공짜 점심 같은 게 정말로 있는 거네" 같은 말은 참아냈다. 대신 그냥 뚱한 상태로 있었고, 그녀는 소용없는 짓이었지만 내가 뚱하게 구는 걸 놀리려 했고, 나는 소용없는 짓이었지만 내가 뚱하다는 걸 부정했고…… 오, 이런 일이 어떻게 진행되는지 알지 않는가.

나는 EF에게 편지를 써서 사과를 하고 안나가 온 건 나하고 관계가 없다고(실은 관계가 있었다고 생각하지만) 해명했다. 답장으로 나는 내가 한 말에 대한 언급은 전혀 없는 짧은 편지를 받았다. 그녀는 "우리의 대화는 계속될 거예요"라고 적었다. 실제로 그렇게 되었고, 나는 크게 안도했다.

우리의 점심은 거의 20년 동안 계속되어 내 삶의 고요하고 빛나는 지점이 되었다. 그녀가 날짜를 제안하면 나는 늘 그 시간을 비우곤 했다. 그녀는 나이가 들면서—아, 우리 둘 다 나이가 들면서—흔한 병과 작은 사고에 시달렸으나 늘 그것은 가볍게 넘겼다. 나에게 그녀는 변함이 없었다. 옷에서나 대화에서나 식욕에서나(소식이었다) 흡연에서나(굳건했다). 내가 도착하고, 그녀는 늘 이미 와 있고, 내가 앉으면 그녀는 묻곤 했다. "그래, 오늘은 무슨 소식을 가져왔나요?" 그러면 나는 미소를 짓고 그녀의 호기심을 채워주고 그녀가 웃음을 터뜨리게 하고, 실패한 결혼과 성공한 자식과 옮겨 다니는 직업으로 이루어진 세계의 소식을 전하려고 최선을 다하곤 했다. 그녀의 지적 관심은 시간을 초월했다. 그리고 늘 그녀가 점심값을 냈다.

그녀는 약속을 두 번 잇따라 취소했는데, 아니 미루었는데, 두 번 다 "예측은 불가능하지만 모를 수는 없는 인간 외피의 침식을 고려하여"라고 이유를 달았다. 나는 그녀가 죽어가고 있다는 걸 알지 못했다. 작별도, 소환도, 마지막 메시지도 없었다. 나는 그녀가 불평 없이, 스토아학파답게, 소리 없이, 거의 은밀하게 죽었다고 상상했다. 나는 크리스토퍼 핀치라는 사람한테서 장례식 초대를 받았는데, 아마도 그녀의 남자 형제인 듯했다. 그전까지 나는 늘 그녀가 외동이라고 가정하고 있었다. 사우스 런던의 을씨년스러운 벽돌 화장터에 딸린 두 예배당 가운데 작은 곳에 약 서른 명 정도가 모였다. CD로 바흐를 틀어놓았고 던과 기번* 낭독이 있었으며, 남자 형제가 주로 자신들의 유년에 관해 간단하지만 감동적인 연설을 했다. 그는 관을 보며 울었다. 나는 몇 사람의 얼굴을 알아

* John Donne(1572-1631)은 영국의 시인, Edward Gibbon(1737-1794)은 영국의 역사가.

보고 고개를 끄덕였으며, 나오는 길에 크리스토퍼 핀치와 악수를 했고, 샌드위치와 와인이 준비되어 있다는 근처 술집의 2층으로 가는 것은 사양했다. 어쩐 일인지 다른 사람들과 그녀 이야기를 하고, 관습적인 질문을 하고 관습적인 답을 얻을 준비가 되어 있지 않았다. 또 경야가 진행되면서 목청이 커지고, 어색한 웃음이 터지고 번지다 시끌벅적해지는 걸 관찰할 준비가. 그래, 우리는 오늘도 아직 살아 있고, 리즈*도 이러는 걸 못마땅해하지는 않을 거야, 안 그래. 흥을 깨는 사람은 아니었잖아, 그게 우리 리즈에 관해 말할 수 있는 한 가지지, 자, 그때 기억나…… 하는 뜻의 웃음. 아니, 그것도 전혀 원치 않았다. 나는 또 그런 상황에서는 늘 생겨날 위험이 있는 그 경쟁적 슬픔의 순간을 피하고 싶었다. 누가 그녀를 가장 잘 알았는지, 누가 그녀를 가장 애도하는지. 나는 엘리자베스 핀치와 둘이만 있고 싶었고, 그래서 그녀를 머릿속에 넣은 채 집으로 갔다.

변호사가 편지를 통해 엘리자베스 핀치가 나에게 "내 모든 서류와 책을 그가 원하는 대로 처분하도록" 맡겼다고 알

* 엘리자베스의 애칭.

려 왔다. 나는 기분이 좋으면서도 당황했다. 그녀가 쓴 책 두 권은 절판된 지 오래였다. 내 안의 몽상가는 그녀가 어떤 갑작스러운 걸작을 뒤늦게 남겼고 내가 그것을 세상으로 안내하는 명예를 누릴 수도 있지 않을까 하는 생각을 했다. 내 안의 관음증 환자는 그녀가 보는 사람이 상처를 입을 만큼 적나라하게 자신을 드러내는 일기를 남기지 않았을까 하는 생각을 했다. 가끔 나의 너저분한 상상력은 그녀가 가르친 학생들 가운데 수상쩍은 녀석들의 상상력보다 나을 것이 없었기 때문이다. 어찌 된 일인지 나는 거기에 발견할 비밀이 있기를 바라고 있었다. 그게 가령 가벼운 경마 도박 중독이라 할지라도(마권 가게 안의 EF! 또는 그녀가 '나의 잔디 회계사'**라고 묘사할 수도 있는 사람에게 전화를 한다!). 그러나 내 안의 분별력을 잃지 않은 부분은 그 모든 추정이 있을 법하지 않은 일이라고 판단했다. 나는 EF가 자신의 삶을 통제했듯이 후손도 통제했을 거라고 예상했다. 아마도 내가 할 일을 알려주는 간략하지만 명료한 메모가 있을 터였다.

　나는 전에 한 번도 초대받은 적이 없는 웨스트 런던의 빨간 벽돌 아파트 단지로 갔다. 한때는 제복을 입은 수위가 있

** 잔디는 경마장을, 잔디 회계사는 마권업자를 가리킨다.

었을 곳으로 보였지만 이제 수위는 현관의 출입 코드로 줄어들었다. 나를 기다리고 있던 사람은 유일한 형제이자 단독 유언집행자인 크리스토퍼 핀치였다. 명랑했고 백발에 뺨이 불그레했으며 짧은 외투, 파란 정장, 사선 줄무늬 타이가 통통한 몸을 둘러싸고 있었다. 그의 누이가 이국적이고 불투명해 보인 만큼이나 비이국적이고 신비감이 없어 보였다.

"정말이지 이게 무슨 영문인지 모르겠습니다." 내가 말했다.

"나도 마찬가지입니다. 게다가 나는 어느 모로 보나 문인 족속은 아니라서. 뭐 잘 쓴 이야기를 좋아하긴 합니다만. 기분전환 비슷하게요."

"네, 우리 모두 그런 게 필요하죠."

"아, 하지만 나는 누이가 경멸했을 만한 걸 읽어요."

"사람들이 생각하는 것과는 달리 경멸 같은 걸 안 하는 분이셨던 것 같은데요." 말하고 나서 너무 나갔다는 느낌이 들었다. "죄송합니다. 남매간이신데."

"네, 하지만 누이가 알리스테어 매클린, 데스먼드 베이글리, 딕 프랜시스*를 좋게 봤을 거란 얘기를 하는 건 아니겠지요."

* 스릴러나 서스펜스를 쓰는 대중작가들.

"선생님이 그 가운데 한 명을 읽으려 하는 걸 봤으면 싶군요."

그는 껄껄 웃었다. "잔뜩 차린 잉글랜드식 아침 식사를 허겁지겁 퍼먹는 걸 상상할 수 없는 것과 마찬가지지요."

그녀의 아파트는 흠잡을 데 없이 깔끔했고 다갈색과 갈색 색조로 통일되어 있었으며 책꽂이가 차지하지 않은 벽에는 작은 복제화가 걸려 있었고 바닥에 세우는 묵직한 갓이 달린 램프가 있었다. 응접실에는 텔레비전, 부엌에는 전자레인지가 없었다. 그저 아주 작은 냉장고, 낡은 가스레인지, 베이비벨링,** 바닥에는 쇼핑백이 가득 담긴 판지 상자뿐이었다. 싱글 침대 하나, 붙박이 옷장, 그리 밝지 않은 침대맡 조명. 어디에도 식물은 없었다. LP 랙 근처에는 아주 낡은 휴대용 레코드플레이어가 모로 세워져 있었다. 로버츠 라디오는 나중에 리메이크한 것이 아니라 오리지널이었다. 죽음으로 텅 빈 아파트나 주택은 종종 버려진 듯한 우울한 느낌을 줄 수 있다. 우리는 애도를 하는 중에는 보통 그런 장소를 의인화한다. 그런데 어떻게 된 일인지, 그게 여기에서는 적용되지 않았다. 아마도 EF가 이 장소를 한 번도 품거나 사랑하지 않

** 소형 오븐 상표명.

고, 그저 점유하기만 했기 때문인 듯했다. 그리고 그 대가로 아파트도—어떻게 이걸 더 의인화하지 않고 표현할 수 있을까?—우리의 존재에 무관심한 듯, 심지어 우월함을 느끼는 듯했다.

나는 책장을 살펴보았다. "데스먼드 베이글리는 분명히 없네요."

크리스토퍼 핀치가 웃음을 터뜨렸다.

"마지막으로 보신 게 언제였나요? 그러니까, 실례가 되지 않는다면⋯⋯."

"죽기 며칠 전입니다. 하지만 그 전에는 1년도 더 됐지요. 내가 런던에 가끔 올라왔고 그러면 점심을 먹었지요. 술을 팔지 않는 찻집에서. 상상할 수 있겠지만 누이를 내가 사는 곳으로 내려오게 하는 건 쉬운 일이 아니었어요."

"어디에 사시는지⋯⋯?"

"에식스에요. 뭐 기차를 타고 한참을 가야 하기는 하지요."

그는 아이러니를 섞어 그렇게 말했지만 딱히 속에 쌓인 게 있는 것은 아니었다. 그저 자신의 누이는 그런 사람이었다는 것을 인정하고 있을 뿐이었다.

그는 말을 이어갔다. "나는 몇 달에 한 번 누이를 보곤 했지요. 시간이 가면서 사이가 점점 뜨기는 했지만."

"엘리자베스는 사람이 가까이 오지 못하게 하는 걸 잘하셨죠." 내가 말했다. "예의 바르지만 단호하게."

"선생에게는 그런 식이었군요. 누이는 거의 끝에 이르러서야 병에 걸렸다는 말을 했어요. 그걸 알리고 싶어 하지 않았던 것 같아요."

우리는 서로 바라보았다. 이보다 비슷하지 않은 남매를 상상하기는 힘들었다. 심지어 예의 바른 것도 방식이 달랐다.

"선생은 어서 볼일을 보는 게 나을 것 같네요. 나는 있을 법하지 않은 일이지만 혹시 냉장고에 와인이 있나 한번 확인해 볼 생각입니다."

잠기지 않은 서류 캐비닛에 은행, 변호사, 회계사, 주택보험 등과 관련된 모든 게 담겨 있었다. 그녀의 유언은 간단명료했다.

그녀의 책상은 잉글랜드 오크로 만든 아츠 앤드 크래프츠 물건으로 단순히 기능적이지만은 않은 유일한 가구였다. 책상역시 잠겨 있지 않았다. 서류철, 공책, 서류, 타자로 친 문서.

"어떻게 진행해야 할지 잘 모르겠네요." 내가 말했다.

"그냥 다 가져가는 게 어때요? 꼭 가족이 가져야 하는 게 있으면 다시 가져오면 되고."

신뢰를 받으니 기분이 좋았다. 나는 때가 되면 알려주마고

했다—어쩌면 그에게 점심을 대접할 수도 있고.

"언제든지 에익스로 내려와도 좋지요." 그가 대답했다. "기차만 타면 금방이니까."

"그런데, 엘리자베스가 유언장은 언제 작성했나요?"

"오, 한참 됐지요. 15년이나 20년? 확인해 볼 수 있어요."

"네, 부탁드립니다."

우리는 악수를 했다. 나는 책상의 내용물을 가져갔다. 일주일 정도 뒤에는 세심하게 상자에 넣은 그녀의 책 전부가 내 아파트에 도착했다.

책들은 족히 몇 달은 그대로 상자 안에 머물렀고 그녀의 책상 내용물도 검토되지 않았다. 책임감의 무게 때문에 주저한 것은 아니었다. 오히려 미신 때문이었다. 그녀의 몸은 사라졌다. 그녀의 지침에 따라 화장되었다. 가족과 친구와 제자가 간직하는 그녀의 기억은 간헐적으로 타오를 터였다. 그러나 여기에, 내 아파트에 몸과 기억 사이의 뭔가가 있었다. 어찌 된 일인지 생명을 발산하는 능력을 갖추고 있는 죽은 종잇조각들.

나는 머뭇거리며, 엇갈리는 도덕적 감정을 품고 그녀의 공책 몇 권을 꺼냈다. 붉은색과 검은색이 섞인 작고 뚱뚱한 양

장본으로 상하이의 플라잉 이글 회사에서 만든 싸구려 수입품이었다. 나는 놀랐다. 아마 은은한 색조의 우아한 암사슴 가죽을 예상했던 것 같다. 그러다 그녀가 거북 껍질 케이스에 아주 싼 담배를 넣고 다닌다는 것을 알고 똑같이 놀랐던 게 기억났다. 공책에는 EF가 번호를 적어놓았는데 몇 권은 사라졌고 날짜가 기록된 것은 없었다. 내용상 연속성이 있지도 않았고 다시 예전 공책으로 돌아가 논평을 덧붙이고 수정을 한 흔적도 뚜렷했다. 나라면 특이한 이탤릭체, 또는 개인화된 이탤릭체라고 부를 만한 필체로 적혀 있었다. 모두 연필로 썼는데, 마치 이 모든 생각은 임시이며 언제든 지워버릴 수 있다, 고 말하는 듯했다. 필체도 다양했는데 이게 나이 때문인지 피로 때문인지 기분 때문인지는 짐작할 수 없었다.

나는 와인을 한 잔 따랐고 내 눈은 여기저기 빠르게 옮겨 다니고 있었다.

−자기 연민의 시대에 스토아철학자가 되는 것은 쌀쌀맞다, 아니, 냉담하다는 평가를 받을 수 있다.

−개인적인 것이 정치적인 것이다—이런 것이 수십 년 동안 오늘의 만트라 역할을 해왔다. 안이한 진술이다. 오히려 개인적인 것은 역사적인historical 것이다. (또 개인적인 것은, 잊지 않기 위해

말해두는데, 히스테리적hysterical이기도 하다.)

-욕정이 감정이라고 믿는 남자들이 있다니 이상한 일이다. 그것
도 기본적인 감정 가운데 하나라고 믿다니.

-또 죄책감을 느끼는 것과 용서를 받는 것을 혼동하는 사람도 많
다. 그들은 중간에 여러 단계가 있다는 것을 잘 모르고 있다.

-어떤 여자는 최근 자신을 "불가사의할 만큼 정직하다"라고 묘
사했다. 이건 통속극에나 나올 법한 난센스다. 정직성에는 정도
차이가 없다. 거짓에는 정도 차이가 있지만 그건 다른 문제다.

-"철학자들은 감정의 개수에 관해 합의를 보지 못했다." AC.

아니, 그만. 이제 막 시작했는데 나는 이미 이것을 '엘리자
베스 핀치의 재치와 지혜'로 바꾸어놓고 있다. 그녀라면 이
걸 싫어했을 것이다. 또 하나의 형용사 세 개짜리 엉터리 묘
사의 예로서. 나는 그녀의 의지에 반해 그녀를 모음집으로
만들고 있다. 게다가 여기 적힌 게 그녀 자신의 생각인지 자
신하지도 못한다. 예를 들어 마지막 것―열정의 개수에 관한
글―은 분명히 다른 사람의 생각이다.

그러면 이것은 어떨까. "현재의 과제는 과거에 대한 우리
의 이해를 교정하는 것이다. 이 과제는 과거를 교정할 수 없
을 때 더 긴요하다." 이건 EF의 목소리일 수도 있다. 또 지난

200년 내의 유럽의 어떤 철학자-역사학자가 한 말의 번역일
수도 있다.

어떤 항목은 한 문단 길이고, 어떤 것들은 한 페이지 길이
고, 어떤 것들은 출처가 밝혀져 있고, 다수는 밝혀져 있지 않
았다. 어떤 것들은 스크랩, 또는 즉흥적인 기록으로 보였다.

-성 세바스티아누스*//고슴도치

또 어떤 페이지 맨 위에는 딱 머리글자 한 쌍만 있었다.

-PG

우드하우스?** 부모의 지도?*** PG 팁스****—혹시 그녀
가 가장 좋아하는 차?

또 페이지 꼭대기에 이렇게 한 줄만 적은 것도 있었다.

---

* 화살을 맞고 죽었다.
** P. G. Wodehouse(1881-1975). 영국 태생의 미국 소설가.
*** Parental Guidance.
**** 영국의 차 상표명.

–J. 서른한 살에 죽다.

이건 훨씬 흥미로웠다. 단순하고 구슬픈 말. 내 안의 관음
증 환자에 관해 내가 뭐라고 말했더라? 나는 망설이지 않고
EF가 특별한 관심을 가진 젊은 남자를 상상했다. 그를 맵시
좋고, 그녀보다 키가 큰 남자로 만들었다. 혹시 사촌, 아니면
크리스토퍼의 친구? 그녀의 첫사랑? 하지만 왜 나는 곧바로
이게 남자라고 가정했을까? 어쨌든 그녀가 깊이 사랑한 사
람. 분명히 몇 살 많고. 그리고 서른한 살에 죽었다? 갑작스
러운 희귀암, 오토바이 사고, 약물 과용, 어쩌면 심지어 자살.
EF는 슬픔에 사로잡히고, 그녀의 심장은 마비되고, 오랜 세
월 얼어붙고…… 아니, 사실은 영원히?

나는 충격을 받았다. 주로 나의 제멋대로 움직이는 정신이
토해낸 것이 눈물 짜내는 소설처럼 진부하다는 점에. EF는
이 제자가 얼마나 창피했을까. 하지만…….

며칠 뒤 크리스토퍼가 전화를 했다.

"누이는 18년 전에 유언장을 작성했어요. 유언 보충서는
없고. 간단한 공증만 하면 된다, 변호사는 그렇게 장담했어
요. 그 사람들을 알기 때문에 하는 말인데 그건 적어도 1년은

걸린다는 뜻이에요."

"감사합니다. 그리고 묻고 싶은 게 있는데……." 어떻게 표현하는 게 최선인지 알 수가 없었다.

"어서 말해보세요."

"음, 좀 이상하게 들릴 수도 있을 겁니다. 하지만 혹시 엘리자베스한테, 젊은 시절에, 제이라는 친구가 있었나요?"

"제이? 제이-에이-와이?"

"아니, 아니요. 그냥 머리글자 제이입니다. 뭐의 약자인지는 모르겠어요. 엘리자베스를 알았을 만한 사람. 어쩌면 선생님의 친구, 그러니까 오빠 친구일 수도 있고."

"흠, 제이는 너무 흔한 머리글자라. 존, 지미, 잭. 음, 내 오랜 친구 잭 마틴이 있는데, 여자한테 인기가 좀 있었죠. 그 친구는 말하곤 했죠, '이름이 세례명으로만 이루어진 남자는 절대 신뢰하지 마라.'* 하하. 보자, 잭이 리즈를 알았던가? 글쎄요, 원한다면 전화해 볼 수도 있습니다."

"아니, 아닙니다, 그럴 필요는 없어요. 내가 찾는 제이는 서른한 살에 죽었습니다. 혹시 선생님 서클에, 아니면 가족 중에……?" 그게 여자일 수도 있다는 가능성은 덧붙이고 싶지

---

* 이름과 성 모두 보통 이름에만 사용하는 세례명으로 이루어진 사람을 가리킨다. 잭 마틴이 그런 예다.

않았다. 우리가 알아가는 단계에서는 좀 이른 느낌이었기 때문이다.

그는 잠시 생각했다. "알다시피 그 나이에 죽는 사람은 많지 않은데. 물론 벤슨이 있는데, 틀림없이 서른쯤이었을 겁니다. 숲에 들어가 목을 맸어요, 가엾은 녀석."

"그분이 엘리자베스를 알았나요?"

"오 아니요, 그 친구는, 뭐라 해야 하나, 사내들 음주 클럽의 일원이었어요. 그리고 지금 기억나는데, 이름이 토비였죠."

"음, 혹시 뭐가 생각나시면……."

"네, 물론이죠. 언제 우리를 보러 한번 내려오세요. 기차만 타면 금방이니까."

EF의 공책에서.

─성공에 대한 자족과 마찬가지로 실패에 대한 자족도 있을 수 있다.

말할 필요도 없지만 그녀에게는 둘 다 없었다. 또 자신을 성공 대 실패라는 맥락에서 생각한 적도 없었을 것이다.

그럼 나는? 내가 가장 아끼는 자식인 넬은 지금 열세 살인데 언젠가 나에 관해 말한 적이 있다. "아빠는 '미완성 프로젝트들의 왕'이야." 나는 이 갑작스러운 진실의 기억에, 또 정신이 예리한 10대에게 심문당하던 기쁨에 미소를 지었다. 하지만 내가 자족하고 있었을까—그것이 문제다.

　결혼도 "프로젝트"에 들어갈까? 그렇다고 생각한다, 비록 출발점에서 그렇게 느껴지는 경우는 거의 없겠지만. 그리고 내 두 번의 결혼은 비록 내가 중단한 것은 아니지만 중단되었다는 의미에서 "미완"이 되었다. 앞서 말한 대로 나는 다양한 일, 특히 지금은 "접객 부문"이라고 부르는 분야에서 여러 일을 했다. 심지어 어느 시점에는 레스토랑을 반 소유한 적도 있다. 만일 그게 "미완"에 속한다면 당시의 경제 불황을 탓하고 싶다. 1년 정도는 빈티지 자동차를 손봐서 팔기도 했다. 나는 에너지와 의욕이 넘친다. 배우로서는 학습 속도가 빨랐다. 하지만 종종 불안해한다. 나는 대학을 졸업할 때 내가 도달한 수준 이상으로 나를 교육하려고 노력했다. 외부인(또는 아내)에게는 단순히 책을 많이 읽는 것처럼 보였겠지만. 누가 알랴, 머리가 허예지면 심지어 도자기를 굽게 될지. 그게 아주 만족스러운 일이 될 수도 있다는 이야기를 듣고 있으니.

하지만 나는 중단하고 바꾼 이 모든 일을 실패라고 보지 않는다. 그것을 두고 자족하지도 않는다. 자족의 반대가 뭘까? 죄책감에 시달리는 것? 자기혐오? 성실성의 증거로 그런 감정들이 나타나야 하는 걸까? 물론 나는 두 결혼에 죄책감을 느끼고 두 경우 모두 약 45퍼센트의 책임을 인정한다. 그러나 자족이라는 딱지를 피하려면 죄책감을 더 느껴야 할까? 글쎄, 그 질문에 대한 답에 관심이 있는 사람은 별로 많지 않을 것 같다.

이상한 일은 크리스토퍼가 여러 번 초대를 했음에도 내가 한 번도 에식스에 내려가지 않았다는 것이다. 아마 나는 무의식적으로 그의 여동생 편을 들고 있었던 것 같다. 하지만 그가 런던에 오면 나는 늘 어김없이 그를 이끌고 와인이 나오는 레스토랑에 갔다. 그는 이미 아파트를 내놓았고 구매 의사가 있다는 연락을 두어 번 받았다고 했다. 대답으로 나는 그에게 그의 여동생의 글은 재미있지만 약간 혼란을 느끼고 있다고 말해주었다. 그는 공감하며 웃음을 터뜨렸다. 나는 거기에 출간할 만한 게 있을지도 모르지만 자신은 없다고 말했다. 개인적으로 나는 경구와 논평을 모은 작은 책을 100부 정도 찍는 쪽이 좋을지도 모르겠다는 생각을 하고 있었다.

"뭐 그건 다 선생에게 맡기겠어요. 엘리자베스는 선생을 신뢰한 게 분명하니 나도 그러죠."

격려를 받는 느낌이었다. 그의 신뢰만큼이나 그의 솔직함에.

"두 분이 얼마나 다르게 느껴지는지, 이상할 정도입니다."

"온건하게 표현해서 그렇겠죠."

"부모님은?"

"중간 어딘가쯤. 그 말은 우리 둘 다 그분들에게 실망을 안 겼다는 뜻이죠. 오, 뻔한 방식으로 그런 건 아니고. 나는 흔히 말하듯이 '그분들에게 손자를 안겨 드렸어요'. 하지만 내 생 각에 그분들은 리즈가 더 관습적이기를, 그리고 나는 더……… 진취적이기를 바랐다고 봐요, 아마도."

학교를 나오고 나서 그는 장교로 단기 복무한 뒤 회계사 훈련을 받았다. 결국 그 둘을 결합하여 어떤 연대의 장부를 정리하는 일을 했다. 나는 그 전에는 군에 회계사가 필요하 다는 생각을 해본 적이 없었다.

"안전했죠." 그가 자신을 책망하듯이 말했다. "안전했어 요."

"전에는 아무도 엘리자베스를 리즈라고 부른 적이 없었습 니다." 내가 말했다.

"우리가 어렸을 때 그렇게 부르곤 했는데, 동생이 못 하게 해서 그만두었죠. 아마 내가 열 살 때쯤이었으니까 동생은 일곱 살이었을 거예요. 자기 이름은 엘리자베스라고 하더군요. 그리고 나는 크리스가 아니라 크리스토퍼고. 물론 나는 동생 말을 따랐죠. 하지만 혼자서는 늘 리즈라고 불렀습니다. 대단한 저항이죠, 안 그래요?"

"둘이 가까웠나요?"

"뭐라고 하기 힘드네요. 나는 오빠였어요. 엄마하고 아빠는 여동생을 돌보는 게 내 일이라고 했죠. 하지만 동생은 자기를 돌봐주는 걸 전혀 원치 않았어요. 절대 나를 따라다니지 않았죠. 내가 **그 애를** 따라다녔어요."

"함께 게임도 하고 그랬나요?"

"왜 이런 질문들을 하는 거죠? 동생에 관해 무슨 책을 쓸 계획은 아니잖아요?"

"네, 절대 아니죠."(이 말이 진실이었을까?) "그냥 엘리자베스가 살아 있을 때는 그런 걸 직접 묻기가 너무—무서웠던 것 같습니다. 게다가 엘리자베스한테 오빠가 있다는 것도 전혀 몰랐고요. 아마 몰랐던 걸 다 채워 넣고 싶은 것 같아요. 물론 어떤 의미에서는 너무 늦은 거지만."

"같은 신세올시다." 그는 대답하며 나를 향해 잔을 들어 올렸다.

"선생님은 자녀가 몇이죠?" (내가 왜 이걸 묻고 있었던 것일까? 그의 전기를 쓰려는 것도 아니었는데.)

"둘이에요. 각각 하나씩. 그리고 리즈는 좋은 고모였죠. 동생 나름의 방식으로."

"당연히 그랬겠죠. 다른 방식이 있었겠어요?"

"절대 아이들 생일을 잊지 않았어요. 또는 크리스마스도. 아이들을 런던에 올려 보내면 늘 개찰구에서 기다리고 있었고요. 아이들은 고모를 절대적으로 신뢰할 수 있다는 걸 알았죠. 함께 박물관이나 미술관에 가곤 했지만 리즈는 늘 그걸 애들에게 재미있는 일로 만들었어요. '이게 어떤 위대한 대가의 위대한 그림이다'가 아니라 아이들을 그림 앞에 세워 두었다가 한참 후에 '배경에서 다람쥐 찾을 수 있어?' 같은 말을 하는 거예요. 그런 다음에 점심을 먹죠. 리즈는 애들한테 아이스크림이나 초콜릿 같은 걸 사줬어요. 물론 그렇다고 애들을 유원지에 데려가거나 했다는 건 아니에요. 내 말이 무슨 뜻인지 아시겠지만."

범퍼카를 탄 엘리자베스 핀치—그거 정말 볼만했을 텐데.

그의 분위기가 갑자기 바뀌었다.

"병원에 있을 때 나한테 재미있는 얘기를 하더군요. 아니, 재미있는 게 아니라 이상한 얘기. 보고 있기가 끔찍했어요,

완전히 말라 뼈만 남아서. 아주 좋을 때도 그리 살이 많은 사람은 아니었지만. 그런데도 어찌 된 영문인지 병원 가운마저 우아해 보이게 만들었다는 얘기는 해야겠네요. 나는 무척 긴장했어요, 상상할 수 있겠지만. 하지만 리즈는 내가 무너지거나 전에 한 번도 하지 않은 얘기를 늘어놓기를 바라지 않을 거란 건 알았죠. 그래서 내가 한 말이라고는, '나쁜 새끼야, 암이란 놈은, 정말 좆같은 새끼야, 리즈, 좆같은 새끼야'뿐이었죠.

리즈는 나를 돌아보았고 나는 동생의 눈을 보았는데—얼마나 큰지 기억하죠—오그라들어 해골로 변한 머리에서 이제 거대해 보였어요. 리즈는 희미하게 미소를 지으며 작게 말했어요. '암은, 나의 소중한 크리스토퍼, 도덕적으로 중립이야.' 그게 무슨 뜻이라고 생각해요?"

나는 입을 다물었다. 불현듯 그녀의 가르침으로 돌아가 있었다. 그에게 철도와 단종 재배 이야기를 할 수도 있었겠지만 그게 무슨 도움이 될 것 같지가 않았다. 그래서 그냥 이렇게만 말했다. "엘리자베스는 선생님 말에 동의하고 있었던 것 같은데요. 자기 나름의 방식으로."

그는 내게 설명을 요청하지 않고 그냥 미소를 지으며 말했다. "멋지네요."

우리 둘 다 잠시 입을 다물고 앉아 있었다. 나는 와인을 한 병 더 주문했다.

"혹시…… 이런 걸 물어봐도 될는지…… 엘리자베스가 자기 사생활 이야기를 한 적이 있나요?"

"어떻게 생각해요?"

"안 했을 것 같은데요."

"잘은 모르겠지만 리즈는 결혼할 수도 있었을 거예요. 몇 번. 연속해서 불교 승려들과." 그의 목소리에서는 사후死後의 짜증—심지어 원한—이 묻어났다.

"남자와 함께 있는 건 본 적이 없나요?"

"없어요, 한 번도. 아니, 있네요, 한 번, 우연히. 우리는 어딘가에서, 역이 아니라 어떤 광장 같은 데서 만나기로 했는데 내가 일찍 갔어요. 갑자기 리즈가 눈에 들어왔죠, 15미터쯤 떨어진 곳에서. 어떤 녀석과 작별 인사를 하고 있더군요. 키가 크고, 두 줄 단추 외투를 입은 녀석. 내가 본 건 그게 다예요. 나는 동생을 보고 있었기 때문에. 동생은 손바닥을 아래로 깔고 두 손을 앞으로, 평평하게 내밀고 있었는데, 녀석이 그걸 잡더군요. 아니, 그보다는 자기 손을 리즈의 손 밑으로 내밀어 손바닥끼리 닿게 했습니다. 리즈가 누를 수 있도록. 그러자, 그렇게 몸을 지탱할 수 있게 되자, 리즈는 한쪽 다리에 무게를 싣고 몸을 위로 끌어 올리더군요. 둘이 키스를 할 거라고 생각했는데 그러지는 않았어요. 마치 녀석의 얼굴을 더 자세히 보려고 기어 올라가는 것 같았어요. 동생의 다른 다리, 무게를 싣지 않은 다리는 뒤쪽으로 직각을 그리며 튀어나와 있었죠. 그게 좀…… 특이해 보였어요, 황새나 그런 것처럼. 플라밍고처럼." 그는 그 기억이 창피한 것 같았다, 그렇게 시간의 거리가 있었음에도. 그의 뺨은 보통 분홍색이었지만—시골 사람, 아니면 적어도 술집 야외석에서 오랜 시간 죽치는 사람의 분홍색—이제 더 분홍빛이 되었나? 상관없었다. 그의 불편함이 분명하게 느껴졌다. 그녀가 외투를 입은 동반자와 침대에 있는 걸 보기라도 한 것 같았다. "그러더니 리즈는 몸을 낮추어 다시 두 발로 서서 그의 손에서 두 손을 거두고 그가 걸어가는 것을 지켜봤어요."

"엘리자베스가 선생님이 지켜보는 걸 봤나요?"

"아니요. 나는 어떤 행동을 해도 안 되고 말을 해도 안 되고 봐도 안 된다는 걸 알고 있었어요. 그러니까, 우리의 이전 삶 전체로 보아 그게 분명했다는 거예요. 하지만 그때는 내가 뭔가에 씌었나 봐요. 그걸 어떻게 묘사해야 할지 모르겠네—의로운 분노, 뭐 그런 거. 나는 다가가 리즈의 양쪽 볼에 입을 맞추고 나서—하지만 우리가 늘 그러듯이 형식적으로 그리고 나서— 말했어요. '그래서 저 사람은 누구야?' 리즈는 오직 리즈만이 할 수 있는 방식으로 나를 똑바로 마주 보더니 말하더군요. '아 저기? **아무도 아니야.**' 사건 종결, 증인 퇴장."

충분히 상상할 수 있었다. "그때 엘리자베스는 나이가……?"

"40대 초반."

그녀가 살아 있을 때라면 나는 생각했을 것이다. 엘리자베스 핀치답네요— 뭘 더 기대했어요? 그러나 이제 죽었기 때문에 나는 그 순간이 크리스에게 얼마나 고통스러웠을지 이해할 수 있었다. 문이 약간 열렸던 것일 수도 있는데 누이동생은 그것을 면전에서 쾅 닫아버린 것이다. 마치, 네 토끼장으로, 네 관습적 삶으로 돌아가, 하고 말하는 것처럼.

그런데 이상한 것은 나중에 그 장면을 상상할, 또는 재구성할 때마다 **내가** 창피했다는 것이다, 마치 내가 그 광장에 있었던 것처럼. 그리고 크리스의 묘사는 어찌 된 일인지 나 자신의 기억의 일부로 변했다. 그리고 나는 그 기억에 크리스처럼 반응했다. EF에게는 그런 식으로 나를 무시하는 행동을 할 권리가 없다고 느꼈다.

EF의 공책에서.

-지역 보건의에게 때가 되었을 때, 환자가 가망이 없고 통증을 견딜 수 없을 때, 그 의사나 다른 사람이 나를 안락사시켜 줄 수 있는지 물어보았다. 그러면서 내가 분명히 말짱한 정신으로 이런 미래의 요청을 하는 것이라고 덧붙였다. 그는 공감은 하면서도 안타깝지만 그런 행동은 허락되지 않는다고 말했다. 나는 대답했다, 어느 쪽이든 내가 그를 고소할 처지는 아니지 않겠느냐, 안 그러냐.

-장례식 추모사나 신문 부고의 양식화. 망자의 장점이 하나하나 거론된다. 이것은 공공연하게 이루어진다. 하지만 눈에 덜 띄는 기억의 양식화에 의존하고 있다.

-그리고 불가피한 세 번째 양식화가 있다. 사후 기억의 양식화. 이것은 우리를 기억할 마지막 생존자가 우리에 관하여 가장 마지막 생각을 하게 되는 순간을 낳는다. 그 마지막 사건, 우리의 최종적 소멸의 표지가 되는 사건에는 이름이 있어야 한다.

-위의 어느 것도 자기 연민이라고 오해하지 말아야 한다.

-나는 종교 또는 민족 집단들의 '추방과 박해' 이전에는 사회적 조화가 있었다고 생각하는 잘못을 범하지 않는다. 없었던 게 분명하다. '추방'의 목표 자체가 국가를 더 평화롭게 만드는 것이었다. '문제를 일으키는 자들'을 없애라, 설사 그들에게 '문제'를 떠안기는 게 우리라 해도. 국가를 단일 인종으로 또 일신론으로

만들어라, 그러면 가능한 모든 세계 가운데 최고인 이 세계에서 가장 좋은 결과를 얻을 것이다. 물론 이런 계획은 뜻대로 성사된 적이 없는데 이유는 두 가지다. 하나, 적대는 계속되었고, 그 결과 우리 자신의 경계 내에 있는 '타자'를 박해하는 대신 '타자'의 내부에 있는 '타자'를 박해하러 밖으로 나갔다. 둘, 사람들 사이의 다양성을 줄인다고 해서 내부의 조화가 이루어지지는 않았다. 작은 차이의 나르시시즘*이 그렇게 놓아두지 않았다.

말할 필요도 없이 그녀의 서류철에 연애편지는 없었다. 나는 그녀가 그런 편지에 담긴 모든 것을 완전히 흡수할 때까지 읽고 나서 그걸 버렸다고 상상한다. 무더기로 버렸을 수도 있다. 당연히, 나는 알 수 없다. 하지만 그녀는 기억력이 훌륭했고 잡동사니를 매우 싫어했으므로 그게 내 결론이다. 그리고 물론 잡동사니에 대한 그녀의 정의는 대부분의 경우보다 폭이 넓었다.

가끔 여행을 가면 그녀에게 그림엽서를 보내곤 했다. 그녀는 그걸 받았다는 이야기를 꺼낸 적이 없고, 물론 하나도 보관하지 않았다. 어느 해에는 프랑스의 지방 박물관에 갔다가

---

* 프로이트가 널리 알린 개념으로, 비슷한 사람끼리 작은 차이를 근거로 자기 정체성을 주장한다는 뜻이며, 공통점이 많은 개인이나 집단 간 갈등이 더 심한 이유를 설명해 준다.

베르나르 팔리시의 접시 사진이 담긴 카드를 샀다. 그가 만든 걸 아는 사람도 있을 것이다. 그는 16세기 사람이었을 텐데, 화려한 색깔의 환상적인 도자기를 만들었으며 종종 접시에 트롱프 뢰유* 과일이나 잎채소를 구워 넣었는데 그 위로 도마뱀이 지나가게 하는 경우도 있었다. 나는 그게 진짜로 음식을 담기보다는 테이블을 장식하는 용도로 쓰였을 거라고 상상한다. 식탁 화젯거리로 쓰일 만했다, 사람들이 흔히 말하듯이. 나는 늘 그의 도자기에서 큰 즐거움을 맛보았다. 어쨌든 그다음에 EF와 점심을 먹을 때, 그러지 말아야 한다는 걸 알면서도, 베르나르 팔리시 그림엽서를 받았느냐고 물었다. 그녀의 답은 내가 들어 마땅한 것인 듯했다. "그 사람이 너무 많이 돌아다녀요."

물론 나는 그 뒤로 그림엽서를 한 번도 보내지 않았다. 나는 또 내가 지금 그녀가 가혹한 사람처럼 보이게 만들고 있다는 것도 알고 있다. 그녀는 그런 사람이 아니었다. 아니, 그런 사람이었다. 하지만 목소리에 가볍고 아이러니 섞인 억양을 넣어 그런 평결을 내렸다. '그러지 말아야 한다는 걸 알면서도' 그렇게 한 내 잘못이다. 애초에 오리야크에서 그림엽

* 사람들이 실물인 줄 착각하도록 만든 그림·디자인.

서를 보내기 전에 생각을 했어야 했다. 또 "큰 즐거움". 엘리자베스 핀치는 우리에게 말했듯이 "엄격한 즐거움"은 취급했지만, 감상感傷과 마찬가지로 "큰 즐거움"은 취급하지 않았다. 조카들이 런던 여행 뒤에 고맙다는 편지를 보냈다면, 아니 틀림없이 보냈을 것이므로, 보냈을 때, 그녀가 그것을 세심하게 읽기는 하지만 그 편지가 그날 넘어까지 살아남지는 못했을 거라고 상상한다. 크리스마스와 생일 카드는 그보다 수명이 짧았을 거라고 상상한다. 아마 EF는 자신이 감상 위에서(또는 너머에서) 사는 사람이라고 믿었을 것이다. 아니, 그건 공정하지 않다. 그 말에는 그녀가 한번은 그 문제를 생각해 보았을지도 모른다는 뜻이 내포되어 있기 때문이다. 그녀는 아마 생각해 보지도 않았을 것이다. 그녀는 자기 나름의 방식으로, 그리고 자기 나름의 수준에서 살고, 또 느끼고, 또 생각하고, 또 사랑했을(이 대목에서 나는 추측을 하고 있다) 것이다. 잡동사니도 마찬가지다. 우리 대부분은 우리의 감정 생활에 끈질기게 매달려 좋든 나쁘든, 영광이든 모욕이든 낱낱이 탐닉할 것이다. EF는 이런 삶에도 잡동사니가 포함되어 있으며, 그것을 지워야만 다시 더 분명하게 보고, 또 느낄 수 있다는 것을 알았다. 이번에도, 나는 추측만 하고 있을 뿐이지만.

크리스토퍼와 나는 친구가 되었다. 그게 맞는 말일까? 그는 여섯 내지 여덟 주마다 런던에 올라왔고—"이가 다시 망가지고 있다", "집사람 줄 선물", "개 때문에 어떤 사람을 만난다"—우리는 함께 점심을 먹곤 했다. 내 관점에서 볼 때 그는 나를 EF와 연결하는 고리였으며 그의 관점에서 볼 때 나는, 내 생각으로는, 그의 인생에 새로 나타난 어울리기 편한 사람이었다. 그리고 늘 내가 계산했다. 물론 그는 이의를 제기했지만 나는 이게 공평하다고 말했다. 그의 여동생이 나에게 사준 그 모든 점심을 생각할 때. 하지만 친구—그 말은 언제부터 적용되기 시작할까?

어느 시점에 크리스토퍼는 나에게 뭘 하려는 거냐고 물었다. 적대적이지는 않지만 약간 수상쩍어하면서.

"뭘 하려는 거냐고요?"

"네, 여전히 나한테 리즈에 관해 묻고 있잖아요."

그게 우리의 분명한 접점처럼 보였다. 하지만 그것은 그 이상이었다. "말씀드린 대로 나는 엘리자베스를 놓아버리고 싶지 않습니다. 그리고 엘리자베스가 내 기억 속에서 일련의 일화들로 응고되어 자리 잡는 걸 바라지 않아요."

그는 작은 소리로 툴툴거렸다. "그럼 선생 계획이"—여기에서 그는 허공에 인용 부호를 찍었다—"리즈의 '전기를 쓰는' 건가요?"

"솔직히 잘 모르겠습니다. 살아 있었을 때 빈 구멍과 다가가 보지 못한 영역이 너무 많아서요."

"정말 맞는 말이에요."

"그런데 내 생각으로는 엘리자베스는 그런 생각을 싫어했을 겁니다. 누군가가 '당신 인생 위를 여기저기 기어다니는 것', 한 미국 작가가 그렇게 표현한 적이 있죠."

"그게 누군가요?"

"존 업다이크."

크리스토퍼는 고개를 저어, 해로울 것 없는 무지를 표현했다. "누가 그 사람 전기를 썼나요?"

"오 그럼요. 그 사람이 죽자마자. 5년 정도 있다가."

"흠, 그럼 답이 나왔네요." 그가 단호하게 말했다. 그는 나를 똑바로 바라보았다. 분홍색 얼굴에 옅은 파란색 눈. 좋다는 건지 못마땅하다는 건지 알 수가 없었다.

"그 말씀은……?"

"누이는 죽었고 선생은 살아 있잖아요. 선생 마음이죠."

그는 당연하다는 듯이, 심지어 가차 없이 이야기했다. 나중에, 나는 그런 확실성이 궁금했다. 그들 둘의 인생에서 엘리자베스는 나이는 어렸지만 늘 손위였다. 이제 죽음이 위계를 뒤집은 것일까? 그렇게 간단할 수 있을까?

　나는 남자와 여자 관계를 두고 종종 혼란을 느꼈다. (남자와 남자 관계는 그보다 덜했고 여자와 여자 관계에는 거의 혼란을 느끼지 않았다. 후자의 짝은 분명하고 현명해 보이는데, 이 관계는 남자들이 세상을 좆같이 망쳐놓은 방식을 고려할 때 취향의 문제가 아니라 필요의 문제로 봐야 한다.) 남자와 여자. 오해와 오독, 거짓의 또는 게으른 동의, 좋은 의도를 가진 거짓말, 상처를 주는 투명함, 도발 없는 폭발, 감정적 나태를 감추고 있는 신뢰할 만한 다정함. 그리고 기타 등등. 자신의 마음도 거의 이해하지 못하면서 다른 사람의 마음을 이해할 수 있을 거라는 기대. 나 자신으로 말하자면 두 번 이혼했고 어머니가 다른 자식 셋을 얻었다. 하지만 이게 내가 상황을 더 잘 이해하게 되었다는 뜻일까, 아니면 반대일까? 내가 조언을 망설이게 되었다는 뜻이란 건 분명하다. 하긴, 앞서도 말했듯이, 내 조언을 들으러 오는 사람은 거의 없고, 따라서 나는 검증받은 일이 거의 없다.

　겉으로는 인생과 결혼이 행복하고, 좋은 아버지이고, 안정된 전문 직업을 갖고 있고, 세상에 늘 웃음을 터뜨리는 너그러운 얼굴을 보여주는 남자를 안 적이 있다. 그는 바람을 피우기 시작했는데—처음인지 아닌지는 모르겠다—상대는 그런 종류의 남자가 바람을 피울 만한 종류의 여자였다. 그녀는 부인보다 열 살 아래였지만 사회적 계급이나 반짝거리는 사교성에서나 다르지 않았다. 부인보다 술 담배를 조금 더 했을지 모르지만—섹스에 관해서야 누가 알겠는가?—자식은 없었다. 그녀는 마흔에 다가가고 있었고 그는 쉰에 다가가고 있었다. 둘에게는 논의할 일반적인 문제들이 있었다. 자식은 어떻게 할 것인가(10대 후반이었고 둘 다 문제가 있었다)? 그는 천성적으로 명석한 정신을 타고난 사람이었지만 이것은 그에게는 새로운 영역이었기 때문에 흔들렸다. 그래, 아내에게 말하겠다, 분명히, 이번 주말에, 약속한다. 그래 아내를 떠날 거다, 분명히, 이번 주말에, 약속한다. 인내심을 가져라, 이 모든 게 그에게는 새로운 일이다, 그래 물론 그녀를 사랑한다. 그런 마감일이 몇 번 다가오고 지나갔다. 마침내 그는 단호해지기로 결심했다. 그래, 분명히, 이번 주말에, 가슴에 손을 얹고 죽을 각오로, 아내한테 말하고 일요일 저녁에 그녀에게 가겠다. 그래서, 금요일과 토요일 또 일요일의 많은 시간에 걸쳐 그는 부인과 자식들에게 소식을 전했다. 다른 여자를 만난다는 것과 집을 나간다는 것, 그리고 그때까지 상상해 온 미래에 관해서. 그런 다음 옷 가방 두 개를 싸고 콜택시를 불러 애인 집 문간에 도착했다. 그러나 애인은 문의 사슬도 풀지 않고 살짝 열린 틈으로 곧장 부인에게 돌아가라고 말했다.

그게 내가 아는 전부다. 전해 들은 것이기 때문에 아마 전하는 과정에서 이야기로 만들려고 지나치게 뭉뚱그렸을지도 모른다. 나는 피해의 양을 가늠할 수도, 용서의 길을 더듬어 볼 수도 없고, 나 자신이 당사자들의 마음으로 더 깊이 들어갈 수 있다고 생각하지도 못한다. 물론 이건 몇 가지 면에서 진부한 이야기지만 일을 겪는 당사자들에게는 진부하지 않았다.

나는 혼자 살고 있으며, 그렇게 된 지 몇 년 됐다. 아마 이미 짐작하고 있었을 것이다. 하지만 방금 그건 내 이야기가 아니다, 이미 말했는지 몰라도.

EF의 공책에서.

– "세상의 질서는 형편없다. 하느님이 혼자 창조했기 때문이다. 하느님은 친구 몇 명과 상의를 했어야 한다. 한 친구와는 첫째 날, 다른 친구와는 다섯째 날, 또 다른 친구와는 일곱째 날. 그랬다면 세상은 완벽했을 것이다." AC

그녀의 공책에는 완전하게 작성된 주장 몇 개, 관련된 인용, 개인적인 메모, 기억, 단순한 낙서가 담겨 있었다. "갈색 달걀"도 그런 낙서 가운데 하나로, 엘리자베스 비숍*의 시 제목이라고 해도 좋을 것 같았고, 아니면 미완성 장보기 목록의 첫 번째 항목이라고 해도 좋을 것 같았다. 텍스트로 보자면 그것은 EF가 오야 포드리다**라고 부를 만한 것이었다. 아마 그 말을 들었다면 우리 가운데 몇 명은 나중에 얼른 사전을 찾아보러 달려갔을 것이다.

다음을 '공책 7'에서 찾았는데, 단정하게 두 단으로 나뉘어 적혀 있었다.

볼테르	몽테뉴
기번	한스 작스
카바피스	톰 건
입센	실러
새뮤얼 존슨	로렌초 데 메디치
아나톨 프랑스	스윈번

---

* Elizabeth Bishop(1911-1979). 미국의 시인.
** olla podrida. 말 그대로는 썩은 냄비라는 뜻으로 스페인이나 남미의 고기와 야채 스튜를 가리키며, 잡동사니를 가리키기도 한다.

E. 워프? G. 비달? 히틀러?

나는 그것을 한참 보다가 EF가 처음 우리에게 이야기할 때 선택적 참고도서 목록을 주겠다고 말했던 것이 기억났다. 이게 그것이었다면 나는 아마 약간 낙심했을 것이다.

좀 더 개인적인 항목도 몇 가지 있다.

–어머니는 죽어가면서 자신이 곧 나를 내려다보며 내가 당신과 함께할 날을 기다리고 있게 될 거라고 말했다. 어떤 형태일지는 몰라도 당신 남편을 다시 보게 될 거라는 기대감은 표시하지 않았다. 나는 미소를 지으며 어머니 팔을 토닥였고 그게 내가 그 상황에서 할 수 있는 최선이었다. 그리고 어머니의 죽음 이후 한 번도 어머니의 진짜 또는 가상의 눈이 나를 내려다보고 있다고 느낀 적이 없다, 심지어 어떤 사람들은—어머니는 물론이고—당황스럽거나 수치스럽다고 생각할 만한 순간에도. 어머니는 그저 재이고, 아버지는 더 오래된 재일 뿐이다. 나는 늘 이것을 알고 있었다.

또.

-어린 시절 주위에는 '처녀 아주머니들'이 있었는데 그렇게 부른다는 것에서 알 수 있듯이 몸과 관련된 모든 것에는 순수하여 처녀성을 안전하게 무덤까지 가져갈 거라고 여겨지는 사람들이었다. 독신녀, 지금은 폐기 상태에 이른 말. 홀로된 부모를 위해 살림을 하는 결혼하지 않은 딸. 매년 함께 살며 어떤 남자가 언니 또는 동생을 데려갈까 걱정하는 동시에 혹시나 어떤 남자가 자기를 찾아와 주지 않을까 기대하는 두 자매. (체호프.) 그들은 다른 사람들과 분리된 상태 덕분에 일종의 사회적 지위를 부여받았다. 그 지위가 존경만큼이나 연민에도 물든 것일지언정. 나는 이런 범주 어디에도 속하지 않는다. 나는 인생을 함께할 자매를 바라지 않으며, 멀리서 그리고 돈으로 모시는 게 아니라면 홀로된 어머니를 모시는 것을 거절했다(요구받지도 않았다, 그건 맞다). 마음의 삶에 관해 말하자면, 마음대로 추측해도 좋지만, 연민은 어울리지 않을 것이다. 아니, 모욕적일 것이다. 그렇다고 내가 그걸 어떤 식으로든 막을 수 있다는 것은 아니지만. 하지만 그런 건 내 관심사가 아니다.

-"여자에게 정절은 미덕이지만 남자에게는 노력이다." AC. 아, 남성적 경구의 익살맞음이란. 여기에 나라면 이렇게 대답하겠다.

-여자에게 사랑은 역사적으로 소유와 그에 뒤따르는 희생의 문제였다. 즉 소유되고 그런 다음 희생하는 문제. 지금도 계속된

다, 전 세계에서. 위장도 더 잘되어 있고 '보상'도 커졌지만 늘 존재한다. 내 세대는 이에 항거했다(어느 모로 보나 첫 번째 항거는 아니었다). 우리는 우리 어머니, 아주머니, 할머니를 보았고, 여자들이 결혼(또는 비혼)의 시점에 규정된다는 것—또 스스로 규정한다는 것—을 알았다. 몇몇은 이것에 대담하게 저항했지만 대부분은 여생 동안 굴복했다. 그리고 나의 모든 원칙에도 불구하고 나도 면제된 게 아님을 인정한다.

그리고 메모 두 개가 있는데, 시차를 두고 적은 게 분명하지만 둘 다 연필로, 하나는 좀 더 진한 연필로 적었다.

—M: 어디로?

그리고 그 밑에.

—M: 왜?

어쩐지 이것은—비록 머리글자 둘, 단어 둘, 의문부호 둘뿐이지만—내 귀에는 EF의 목소리로 들렸다. 하지만 그다음 두 질문—M: 언제?와 M: 누가?—이 나온다면 나는 답할 수 없다.

지금 그녀를 '신비의 여인'처럼 보이게 만들고 있다는 것을 깨닫는다. 그녀는 그렇지 않았다. '신비함'이 전혀 없었다. 늘 특별하다고 할 만큼 명료했다. 그녀가 하는 말은 늘 진실이었으며 그녀의 정확한 단어 선택으로 더 진실해졌다. 하지만 뭔가 말하고 싶지 않으면 안 한다고 또 안 할 거라고 분명히 밝혔다. 중간은 없었고, 교활한 암시나 편의적인 회피는 없었다. "아 저기? **아무도 아니야.**" 거기에는 신비한 게 전혀 없었다. 그것은 거짓말이었지만, 그녀는 상대가 이해할 것이고 따라서 진실이 될 것임을 알면서 그 말을 했다.

우리가 그녀에 관해 학생 특유의 환상을 가졌을 때 그 환상들은 수상쩍거나 화려해지는 경향이 있었다. 왜 우리는 그 반대 종류의 꿈을 절대 꾸지 않았을까? 내핍, 규율, 세상과 거리두기에 관한 환상. 나는 중세의 수녀원을 책임지는 수녀원장인 그녀를 쉽게 상상할 수 있다. 담쟁이가 덮인 돌담, 정적, 순종, 기도, 희생…… 하지만 아니, 그런 생각은 즉시 무너진다. EF는 수녀원장이 아니었고, 성 우르술라가 아니었고, 하물며 열한 명, 또는 만 천 명의 처녀 가운데 한 명은 더욱더 아니었다.

그녀의 공책들은 구성의 원칙이랄 게 전혀 없다. 그 범위는 친밀한 것에서부터 공식적인 것까지, 개인적 사유思惟로부터 강의 메모까지 폭이 넓다. 여기 몇 가지 연속적인 항목의 예를 들어보겠다.

-인위, 엄격, 진실. 옷만큼이나 문명에서도 인위. 진실의 대립물이 아니라 종종 바로 그 구현인 인위, 진실을 저항할 수 없는 것으로 만드는 인위.

-공격의 한 형태로서의 연민. **연민을 주의하라**, 정말로.

-물론, 나 같은 종류의 여자는 유행에 뒤떨어졌다. 그렇다고 내가 유행을 따르기를 바란 것도 아니고, 실제로 따른 적도 없지만. 내가 바란 것은 오히려 지속 가능성이다.

-오, 사람들은 말한다, 저 여자는 결혼한 적이 없어. 하나의 삶을 묘사하고 포괄하는 그런 환원적인 방식.

-나는 필요한 만큼 많은 친구를 갖고 있다. 그들은, 전체적으로, 서로 연결되어 있지 않다. 이 때문에 그들 가운데 일부는 자기가 내 인생에서 실제보다 더 중심에 있다고 상상한다. 어떤 사람들은 그 반대고.

-관계가 깨질 때면 여자 탓을 하는 경우가 늘 많았다. 남자가 달아나면 여자에게 그를 붙들어 둘 기술이 없다고 했다. 여자가 달

아나면 여자가 변덕이 심하거나 타협을 모르거나 버티는 힘이 부족하다고 했다. 실제로는 아마도 지루해서 머리가 빠개질 지경이었을 것이다.

−"에마가 나쁜 어머니이기 때문에"『보바리 부인』을 좋아하지 않는다고, 무척이나 진지하게 나한테 말한 여학생. 맙소사.

−내가 외로운 여자라고 생각하는 건 잘못이다. 나는 혼자이고, 그건 완전히 다른 문제다. 혼자인 것은 강점이고 외로운 것은 약점이다. 그리고 외로움에 대한 치료책은 혼자가 되는 것이다, 지혜로운 MM이 지적한 적이 있는 것처럼.

−나는 듣지 않아도 사람들이 어떻게 말하는지 알고 있다. "오, 저 여자는 일이 제대로 안 풀렸구나. 왜인지 궁금해. 아마도 너무 굽힐 줄 모르거나 타협할 줄 몰랐겠지." 그들이 뭘 알까? 그런데 도대체, 나는 종종 궁금하다, 흔히 말하는 이 "풀린다"는 무엇을 의미할까? 말로 하지 않는 생각과 겁먹은 화해로 이루어진 공동의 삶. 마음 한편에서는 자기 옆에서 자기만족적으로 코를 고는 그의 목에 빵칼을 들이대고 싶은데도.

−"그대가 이겼다, 오 창백한 갈릴리인이여." 역사가 잘못된 길로 접어든 순간. 현지 신들을 **포용하는** 로마인들. 일신교 대 복수성複數性. 그것과 마음의 삶의 관련성. 일신교/일부일처제. "그러나 사랑은 배신으로 씁쓸해진다." 사랑은 사랑에 집착하는 사

람에게 "근사치의 행복"이라는 운명을 준다. 일신교는 늘 성적
정통성을 강요한다.

그러다가 다음 항목을 읽고 즉시 내가 뭘 해야 할지 알았다.

─사람들은 유전적 특질에서, 부모의 행동에서, 물려받은 것에서,
기후에서, 식단에서, 지리에서, 자궁에서 보낸 시간에서, 본성에
서, 양육에서 모든 게 결정된다고 말한다. 사람들은 방에서 코끼
리가 울부짖는 것을 듣지 못한다. 역사의 울음. 듣는다 해도 그들
은 역사가 자신의 인생 또는 부모의 인생에서 일어난 일일 뿐이
라고 생각한다. 침략, 집단 학살, 메뚜기 떼의 창궐. 그보다 뒤로
거슬러 간 역사는 모두 비활성 상태라고, 현재와 아무런 화학적
반응을 일으키지 않는다고 생각한다. 나는 히틀러와 스탈린을 보
는 대신 콘스탄티누스와 테오도시우스를 볼 것을 제안한다. 누군
가 존경할 사람을 원한다면 율리아누스를 보라. 신문들이 "불굴
의 영웅"이라고 부를 만한 자.

그렇게 그가 나타났다, 갑자기 내 눈앞에. "J, 서른한 살에
죽다."* 배교자 율리아누스, 로마의 마지막 이교도 황제, 페
르시아의 사막에서 죽임을 당했고, 창백한 갈릴리인에게 졌

다. 나는 참고도서 목록이 적힌 공책을 집어 들고 복도의 책상자들로 돌아갔다. 물론 스윈번이 있었다. 그리고 아나톨 프랑스, 율리아누스에 관한 에세이. 입센의 '전집' 제5권, 한 권 전체가 「황제와 갈릴리인」이라는 480페이지짜리 희곡(이걸 어떻게 공연했을까? 공연을 하기는 했다면?)에 바쳐져 있었다. 나는 『히틀러의 탁상 담화』가 있다고 적힌 상자를 찾아보았고 그 또한 거기 있었다.

나는 하찮은 이혼 문제에 정신이 팔려 그녀에게 실망을 안긴 적이 있었다. 나는 사과했고 그녀는 "틀림없이 일시적일 거예요" 하고 대답했는데 이 말을 나는 자기중심적으로 잘못 해석했다. 그 뒤에 그녀는 두 가지 일을 했다. 그녀는 공책에 참고도서 목록을 남겼고, 나에게 자신의 장서를 주었다. 대체로—아니, **정확히**—지금은 이름이 떠오르지 않는 황후가 갈리아 원정을 떠나는 율리아누스에게 그랬던 것처럼. 이것은 무엇보다 분명한 신호로 보였다. 어떤 섬뜩한 '사후 메시지'가 아니라, 그냥 내가 기억을 하고 일을 파악하고 그 일을 해내기만 하면 되는 문제였다. 이것이 '미완성 프로젝트의 왕'이 이번만은 완성해 보겠다고 결심한 과제였다.

* 율리아누스는 영어로 Julian이라고 쓴다.

죽은 사람을 기쁘게 하려고. 물론 우리는 죽은 자들을 기리지만 그렇게 기리면서 어찌 된 일인지 그들을 훨씬 더 죽어 있게 만든다. 하지만 죽은 자들을 기쁘게 하면 그들이 다시 살아난다. 그게 말이 될까? 내가 EF를 기쁘게 하고 싶다는 것은 옳았고 나의 약속을 지키겠다는 건 옳았다. 그리고 나는 약속을 지켰다. 다음이 내가 쓴 것이다.

))◗●◖((

둘

ELIZABETH FINCH

수첩에는 두 머리글자만 적히고 아래는 텅 빈 공간으로 남아 있었다. PG. 나는 처음에는 가벼운 관심만, 그것도 잠깐 가졌을 뿐이었다. 그러다 서서히 그게 "창백한 갈릴리인Pale Galilean"을 가리킨다는 사실을 깨달았다. 스윈번의 시 「프로세르피나 찬가」의 한 구절인 "그대가 이겼다, 오 창백한 갈릴리인이여"에 나오는 인물. 이 시를 개괄하면.

화자는 '배교자' 율리아누스다.

그가 말하고 있는 상대는 예수 그리스도다.

장소는 페르시아 사막이다.

해는 서기 363년이다.

내용은 기독교가 이교 신앙, 헬레니즘, 유대교를 비롯하여 당시 로마제국을 휘젓고 다니던 모든 경쟁 종파와 이단에 승리를 거두었음을 율리아누스가 인정하는 것이다. 로마제국은 이제 또 앞으로도 영원히 기독교 제국이기도 할 것이다.

율리아누스는 그런 말을 하면서 자신의 피를 한 줌 허공에 뿌리고 전장에서 죽는다. 그는 신학적인 동시에 군사적인 성격의 패배를 인정하고 있다.

황제의 정식 이름은 플라비우스 클라우디우스 율리아누스였지만 승자가 약탈물을 획득하고, 이 약탈물에는 서사와 역사만이 아니라 명명법도 포함되기 때문에 그 뒤로 '배교자' 율리아누스로 알려지게 된다.

물론 이 가운데 일부만 사실이다. 거의 처음부터 다양한 설이 존재했다. 로마군은 샤푸르 2세를 정벌하려다 실패하여 티그리스강과 대체로 평행하는 경로로 아시리아 서부를 가로질러 북쪽으로 후퇴하면서 페르시아군의 추격에 시달렸다. 로마군(이 경우에는 주로 갈리아인이었지만 시리아인과 스키타이인도 있었다)은 지쳤고 굶주렸으며 집은 멀었다. 페르시아군에게는 코끼리가 있었으며 그 놀라운 크기와 신비한 움직임에—한니발이 그 전에 알아냈듯이—일반적인 군단 병사들은 겁에 질렸다. 소규모지만 격렬한 접전이 벌어졌다. 혼란 속에서 신분이 밝혀지지 않은 한 페르시아인이 황제를 향

해 기병대용 창*을 던졌다. 창은 팔을 스쳐 간에 박혔다. 율리
아누스는 방패에 실려 그의 막사로 옮겨졌을 수도 있고 아닐
수도 있다. 생명이 빠져나가는 동안 그가 동행자들과 철학적
대화를 나누었을 수도 있고 아닐 수도 있다. 명언 사전에 등재
될 자격을 안겨준 그 유명한 말을 하지 않은 것은 확실하다.

"그대가 이겼다, 오 갈릴리인이여." 이 구절은 그로부터 한
세기 정도 뒤에 쓰여진 테오도레토스의 『교회사』에 처음 나
온다. 뛰어난 날조다. 하긴 역사가도 탁월한 소설가가 될 수
있으니까.

천 년 하고도 그 반이 더 지난 뒤 스윈번은 "그대가 이겼
다, 오 창백한 갈릴리인이여"라고 썼다. "창백한"은 어디에
서 왔을까? 콘스탄티노플에서 태어나 거의 평생 중동의 태
양 아래 살던 율리아누스 황제와는 대조적으로, 서양미술
대부분의 기간 예수가 북유럽인의 피부를 가진 것으로 그려
졌기—흰 얼굴의 그리스도이기—때문일까? 아니면 이 나사
렛 사람은 세속적이지 않기 때문에 창백한 것일까? 아니면
그가 이미 죽었기 때문일까?

하지만 그저 이 시행의 운율을 더 잘 맞추려면 시인에게

* 말에 탄 채 사용할 수 있도록 보병의 창보다 길게 만들었다.

음절이 추가로 필요했을 가능성이 더 크다. 이렇게 해서 날조된 구절이 다시 날조되는데 이번에는 날조자가 시인이다. 시인도 탁월한 소설가가 될 수 있다.

율리아누스가 갈릴리인에게 졌다고 '말한' 것은 이상해 보일 수도 있다. 페르시아군에서 싸우는 기독교인은 없었고, 공식적으로 기록된 사망 원인은 적의 창이기 때문이다. 아, 정말 그랬을까? 초대 기독교의 신화 제작자들은 영리했다. 그들에 따르면 율리아누스가 그렇게 '말한' 것은 그가 실제로 기독교인의 손과 기독교인의 신에 의해 죽임을 당했기 때문이다. 정확히 말하자면 두 쌍의 기독교인 손. 즉 메르쿠리우스(서기 225?-250)와 바실리우스(서기 370에 활동)라는 한 쌍의 성자에 의한 양면 공격이었다. 한 명은 죽은(어쨌든 지상의 맥락에서는) 성자였고 한 명은 살아 있는 성자였다. 로마군 소속 스키타이인 장교의 아들인 성 메르쿠리우스는 이교도 희생제 참가를 거부하여 참수당했다. 그러나 죽고 시성諡聖된 후에도 계속 활동했다. 그는 살아 있는 기독교인과 미래의 성자들에게 "자신의 검을 빌려주었다". 예를 들어 성 게오르기우스(어쨌든 그들 가운데 한 명*)에게, 그리고 거의 천 년 뒤 1차 십자군 원정 때 성 데메트리우스에게. 363년 바실리우스는 창을 든 병사로 그려진 메르쿠리우스가 등장하는 성화 앞에서 기도하고 있었다. 눈을 뜨자 성화에서 메르쿠리우스의 모습이 사라지고 없었다. 그 모습이 다시 나타났을 때 메르쿠리우스의 창끝에는 피가 묻어 있고 그 시간에 율리아누스는 페르시아 사막에서 죽어가고 있었다. 한낱 이교도가 그런 천상의 화력에 어떻게 저항할 수 있었겠는가?

율리아누스는 로마 황제였지만 한 번도 로마에 발을 들여놓지 못했다. 그는 우연히 황제가 된 사람이었다. 당시에는 우연히 황제의 권좌에 이르는 일이 흔하기는 했지만. 그는 어린 시절 궁정에서 멀리 떨어져, 군인의 길에서 멀리 떨어져, 학생으로 살았다. 351년 형 갈루스가 밀라노의 궁정으로 소환되어 카이사르가 되었으나 동방을 다스리는 일을 맡아 떠났다가 3년 뒤 소환되어 부패 혐의로 기소되고 처형당했다. 그다음에 율리아누스가 밀라노로 소환되었기 때문에 그는 자신도 제거될 것이라고 반쯤 예상했다. 그러나 콘스탄티우스 황제의 두 번째 부인 에우세비아가 보호자가 되어주었고, 그게 아니라도 이 학자풍의 소년은 큰 위협으로 여겨지

* 리다의 성 게오르기우스가 가장 유명하지만 같은 이름을 가진 성인이 여럿이다.

지 않았을 것이다. 그는 갈리아에 있는 제국 서군을 맡았는데—어쨌든 그 자신의 이야기에 따르면—사람들은 그가 그 일을 해내지 못할 것으로 예상하고 있었다. 에우세비아는 그가 다양한 게르만 부족을 진압하면서도 공부를 계속할 수 있도록 철학책·역사책·시집을 선물로 주었다. 그는 라인강을 세 번 건너며 진압 전쟁을 벌였다. 그의 군대는 파리 성문에서 그가 아우구스투스*라고 선포했다. 그는 밀라노로 자신을 소환하려는 시도들을 꾀로 물리쳤으며 군사를 이끌고 제국의 동방 반쪽을 다스리는 콘스탄티우스와 대적하러 나아갔다. 두 군대가 서로를 향해 다가가는 동안 행복한 우연이 일어났다. 콘스탄티우스가 361년 몹수에스티아에서 열병으로 죽어 율리아누스에게 대적할 자가 사라진 것이다.

313년 콘스탄티누스와 공동 황제 리키니우스는 밀라노 칙령으로 기독교를 처벌 대상에서 제외했다. 그 결과 국가는 종교에 관하여 공식적으로 중립을 지키게 되었다. 그러나 기독교 사제들은 이제 제국 전역을 자유롭게 여행할 수 있었고 납세 의무가 없었다. 337년 콘스탄티누스가 죽은 뒤 그의 아

---

* 원래 로마 초대 황제 가이우스 옥타비우스 투라누스에게 로마 원로원이 부여한 칭호로 숭배를 받는 권위 있는 자를 가리키는 말이었고, 이후 로마 황제라는 최고 지위에 오른 자를 가리키는 칭호로 사용되었다.

들들인 콘스탄티누스 2세와 콘스탄티우스 2세는 기독교인으로서 통치했다. 따라서 율리아누스는 황제가 되어 자신이 이교도라고 공표하고 다시는 기독교 교회에 발을 들여놓지 않았지만 그렇다고 국교인 기독교를 폐지한 것은 아니었다. 기독교는 국교가 된 적이 없었기 때문이다. 물론 기독교인은 이렇게 보지 않았고, 일각에서는 율리아누스가 페르시아 전쟁에서 승리해서 돌아왔으면 교회 박해로 관심을 돌렸을 거라고 의심했다. 그가 다시 그들의 종교를 불법화하고 두 번째 디오클레티아누스**가 되는 것을 무엇이 막아줄 것인가?

율리아누스는 개인 생활에서 기독교적 특질에 비길 만한 많은 특질—검소·겸손·순결·학구심—을 보여주었다. "시리아의 고기 가마"***라는 별명이 사라지지 않던 곳에서도 유혹에 넘어가지 않았다. 그는 효율적이었고 부패하지 않았고 근면하고 공정했다. 그는 사법·조세 제도를 개선하고 제국을 침략으로부터 더 안전한 곳으로 만들었다. 그러나…… 그러나…… 그러나 그는 배교자였고 더욱더 그렇게 된다. 그는 기독교인으로 태어나 세례를 받았으며 교회 의식儀式 속에서 성장하면서도 여전히 헬레니즘 방식으로 철학하는 것

** 284-305년 재위한 로마 황제로 기독교를 탄압했다.
*** 「출애굽기」 16:3에 나오는 표현으로 지금은 환락가를 뜻한다.

을 허락받았다. 그는 20대 초반 고대 데메테르* 숭배인 엘레우시스 제전에 입문했다. 이 제전은 신자들에게 환생을 약속했고 순결을 권했으며 비밀 엄수를 요구했다. 그러나 적대자들에게 이 제전은 깜깜한 동굴, 불타오르는 횃불, 유령일 뿐이었다. 이교 신앙 가운데서도 가장 이교도적인 것이자 엉터리 미신의 심각한 사례일 뿐이었다. 율리아누스는 10년 동안 계속 공적으로는 기독교인인 척했다. 이게 위선이었을까? 다신교였을까? 아니면 단순히 신중한 태도였을까? 그가 갈리아에서 지휘한 군인 대부분은 기독교인으로 만일 지휘관이 이교도였다면 그렇게 열심히 따르지 않았을지도 모른다. 어쩌면 열심히 죽이려 했을지도 모른다.

모든 종교(음, 거의 모든 종교)는 무지하고 오도되고 우상을 숭배하는 농민보다 배교자를 훨씬 미워한다. 농민은 대개 약간 엄하게 설득하면 어둠에서 끌려 나와 눈을 껌벅이며 빛으로 가기 때문이다. 기번은 이 시기에 유대인이 배교자들을 죽였다고 쓰고 있다. 이는 아마도 모든 일원화된 커다란 조직에 해당할 것이다. 예를 들어 트로츠키는 단 하나의 진실한 정치적 믿음을 버렸다는 이유로 멕시코시티에서 암살당

---

* 그리스신화에서 대지의 생산을 관장하는 여신.

했다. 그러나 그런 시스템은 배교자를 증오할 뿐 아니라 요구한다. 부정적 사례로서, 경고로서. 종교를 버리고 종교에 반대하는 설교를 하고 종교를 공격하면 뭘 얻게 되는지 보라. 간에 꽂힌 창, 두개골에 꽂힌 등산용 피켈. 율리아누스가 우둔하고 놀기만 하는 황제였다면, 욕정이 가득하고 부패했다면, 잔인하고 표리부동했다면 내치기가 쉬웠을 것이다. 하지만 한 논평가의 말대로 율리아누스는 "깊은 곳에서는…… 잘못된 길을 간 기독교 신비주의자"였다. 작은 차이의 나르시시즘 이야기를 한 사람이 누구더라? 그래, 프로이트. 그래서 율리아누스는 기독교가 유럽 대부분과 그 너머까지 지배하게 되고 나서도 오랫동안 아이들에게 겁을 줄 때 불러내는 도깨비, 이후 수많은 기독교 작가가 공격을 집중하는 과녁이 되었다. 그의 명성은 계속 울려 퍼졌다. 밀턴은 그를 "우리 신앙의 가장 영리한 적"이라고 불렀다. 나중에 율리아누스는 계몽주의 사상가, 불가지론자, 자유의지론자 등에게서 지지를 얻기 시작했다. 그 덕에 그의 이름과 명성이 유지되었다. 역사의 변하는 빛에 따라 달리 해석되는 인물. 어떤 사람들에게는 EF가 아이러니를 섞어서 표현했듯이 "불굴의 영웅"이고 어떤 사람들에게는 사탄의 동생이나 다름없고.

율리아누스는 다작의 저술가로 구술이 하도 빨라 속기사가 따라잡지 못하는 일이 흔했다. 현존하는 것은 로브 판版으로 세 권을 꽉 채우며, 편지·웅변·송덕문·풍자문·경구·단상 등으로 이루어져 있다. 핵심 텍스트는 "갈릴리인들에게 반대한다"로 이는 기독교에 이의를 제기하는 글이다. 원래 3부로 이루어진 이 글은 2부와 3부가 망실되었다. 남아 있는 1부조차 단편적인 형태이며, 훗날의 기독교 저자가 논박을 위해 율리아누스를 인용한 부분을 모은 것이다. 그렇다고 해서 그의 의견이나 어조가 녹녹해지지는 않았다. 이 글은 이렇게 시작한다.

갈릴리인들이 꾸며놓은 이야기는 사실 사람들이 사악한 마음으로 지어낸 허구에 불과하다고 내가 확신하는 이유를 모든 인류에게 제시하는 것이 적절하겠다는 생각이 든다. 그 이야기는 신성한 데라고는 전혀 없는데도 사람들의 영혼 가운데 우화를 사랑하는 유치하고 어리석은 부분을 한껏 이용하여 터무니없는 이야기가 사실이라고 믿도록 유도하고 있다.

율리아누스가 의도적으로 기독교인을 "갈릴리인"이라고 부르고 그리스도를 "나사렛 사람"이라고 부르는 것은 그 기원과 믿음이 좁은 지역에 한정된 것처럼 들리게 하려는 의도다. 그는 이 종교가 유대교에서 발전한 것이 아니라 유대교의 왜곡이며, 그것도 너무 심한 왜곡이기 때문에 유대교와 헬레니즘 사이의 거리가 둘 각각과 기독교 사이의 거리보다 외려 가깝다고 본다. 율리아누스도 아브라함·이삭·야곱의 하느님은 '숭배'하는데 이들은 칼데아 사람들이며, 또 아브라함은 그리스인처럼 동물 희생, 유성으로 치는 별점, 새의 비행에서 드러나는 징조를 믿었다.

갈릴리인들의 창건 신화, 즉 에덴동산 이야기는 율리아누스가 볼 때 "전적으로 황당무계하다". 또 아담과 이브에게 완전히 불공정하다. 하느님은 무슨 일이 일어날지 정확히 알고 있었기 때문이다. 신이 엄지로 저울을 누르고 있는 셈이다. 십계명으로 보자면 일신교와 안식일을 지키라는 계명 외에는 "독특한 것이 전혀 없다". 하느님이 "질투한다"는 관념은 "하느님에 대한 끔찍한 중상中傷"이다. 합리적인 사람이라면 누가 우리를 경멸하고 아버지의 죄로 자식을 벌하는 징벌적인 통제광 신을 숭배하겠는가? 율리아누스는 이 모든 것이 유치하고 미성숙하다고 본다. "이 모든 것은 불완전한 개념으로 신성에 어울리지 않는다……. '다른 신을 섬기지 말라는 계명'은 신을 극도로 중상하는 것이다."

갈릴리인들은 그들 자신의 사도들이 가르친 것을 무시하고 예수를 신의 수준으로 격상했다. 그들은 순교자의 뼈를 떠받드는데 이는 "특이하게 기독교적인 것으로 이교도에게는 불쾌하다". 또 그들이 집착하는 조언과 지침 몇 가지를 보라. 예수는 가진 모든 것을 팔아 가난한 사람들에게 주라고 설교했다. 잠시라도 이 지침의 현실성을 생각해 보라.

모든 사람이 그 말에 순종한다면 파는 사람만 있지 살 사람이 어디 있겠는가? 이 가르침을 수행하면 어떤 도시도, 어떤 나라도, 단 한 가족도 지탱이 되지 않을 텐데 이것을 누가 찬양할 수 있겠는가? 모든 걸 팔았다면 어떤 집이나 가족도 가치가 있을 수 없기 때문이다. 더욱이 도시의 모든 걸 동시에 팔려고 내놓고 있다면 거래를 할 사람이 없을 것임은 말할 필요도 없이 뻔하다.

율리아누스는 유대 땅의 이 어정뱅이들이 내놓은 것과 그리스인을 비롯한 "이방인"이 세상에 준 것을 비교하여 제시한다. "그러나 하느님은 과학과 철학자들의 학문이 우리에게서 나오게 하셨다." 천문학은 바빌로니아에서 출발했으며, 기하학은 이집트에서, 수의 이론은 페니키아에서 출발했다. 그리스인은 이 모든 분야를 결합하고 통합했다. 이름을 들

필요가 있을까? "플라톤, 소크라테스, 아리스티데스, 키몬, 탈레스, 리쿠르고스, 아게실라오스, 아르키다모스. 다시 말해 철학자, 장군, 기술자, 입법가의 무리다." 히브리인에게는 알렉산드로스 대제나 율리우스 카이사르와 비교할 만한 장군 한 명 없었고, 테오도루스의 아들 이소크라테스는 솔로몬보다 훨씬 "지혜로웠다".

그리스인을 비롯한 이방인의 종교는 아주 오래되고 깊은 문명에서 나왔다. 이와 비교하여 유대인과 기독교인은 무엇을 내놓을 수 있는가?

하지만 이제 너희가 거머리처럼 그 원천으로부터 가장 나쁜 피를 빨아들이고 더 순수한 피는 내버려두는 일이 벌어졌다. 너희 가운데 가장 가치 없는 자들을 끌어들인 예수는 이름이 알려진 지 300년 정도밖에 되지 않았다. 그리고 그는 평생 들을 가치가 있는 일을 이룩하지 못했다. 몸이 비틀리거나 눈이 먼 자를 치료하고 벳새다와 베다니에서 마귀 들린 자들에게서 마귀를 쫓아낸 일을 대단한 업적으로 친다면 몰라도.

율리아누스에게서는 영 의심스럽다는 오만한 태도가 드러난다. 사회의 가난한 계급들 사이에 터를 잡고 배후에 진정한 문명도 없는 종교가 어떻게 그렇게 짧은 시간에 그리스-로마 세계—아무리 쇠퇴하고 있다 해도—를 정복하고 또 그렇게 해로운 결과를 낳을 수 있었을까? 무엇보다 히브리인은 정부의 법, 재판소의 형태, 도시의 경제와 아름다움, 다양한 학문의 발전과 교양 교육이라는 면에서 비참하고 원시적인 상태라는 것이 분명한데? 한 가지 답은 바로 이것이다. 유대-기독교는 종교를 가진 문명이 아니라 자신을 뒷받침할 문명이 거의 없는 억압적 종교라는 것. 율리아누스는 이것이 기독교가 잘 팔릴 수 있는 독특한 장점 중 하나가 될 수도 있다는 점을 과소평가했다. "문명"은 나중에 생겨도 상관없었고, 없어도 그만이었다. 그들에게는 종교가 곧 문명이었기 때문이다. 이 종교는 독자적으로 서 있었으며, 따라서 절대적이었고—불가피하게—독점적이었다.

그런 종교의 추종자에게 헬레니즘 철학을 가르치는 일을 맡길 수 없다는 것은 율리아누스에게는 당연한 일이었다. "사람이 어떤 생각을 하면서 그와 반대되는 다른 생각을 가르친다면 손님을 속이고 구슬리기 위해 거짓임을 뻔히 알면서도 옳다고 말하는 습관이 생겨버린 저 비열하고 부정직하고 방종한 상인들의 행동과 다를 것이 무엇이겠는가?" 나아가서 이 갈릴리인 어정뱅이들은 순교를 선호하는 것에서 드러나듯이 히스테리에 사로잡힌 면을 보여주는데, 율리아누스의 말에 따르면, 이 때문에 "그들은 죽음을 바람직하게 생각한다. 그것으로 강제로 영혼을 분리하여 천국으로 올라갈 수 있기 때문이다".

마지막으로 '배교자'는 기독교가 전혀 정교하지 않다는 것에, 전문가를 인정하려 하지 않는 것에, 서기나 현자보다 바보나 숙맥을 찬양하는 것에 당황했다. 1809년 율리아누스를 영어로 번역했고 그 자신이 "철학적 다신론자"였던 토머스 테일러는 이 점을 길게 의욕적으로 설명했다.

[예수는] 또 주로 아이들, 여자들, 어부들과 함께 있는 것을 즐겼으며 제자들에게 어리석음을 힘주어 권하고 지혜는 주의하라고 말했다. 그리고 어린아이, 백합, 겨자씨, 참새 등 분별력 없고 하찮은 존재들, 오직 자연의 명령에 따라 살고 기술이나 배려도 없는 존재들을 예로 들며 제자들을 모았다······ 경전에는 사슴 토끼 양을 자주 언급하는데 아리스토텔레스의 격언을 믿는다면 양보다 어리석은 동물은 없다. **양 같은 태도***에 관한 그 표현은 이 피조물의 어리석음에서 가져온 것으로 보통 머리가 둔한 사람이

---

* 어리석은 짓을 하여 멋쩍어하는 태도를 가리킨다.

나 바보에게 사용한다. 그런데도 그리스도는 스스로 자신을 양 떼의 목자라고 공언하며 '어린 양'이라는 칭호를 반기기도 한다!

최근의 과학적 연구에 따르면 오래전부터 내려오는 통념과는 반대로 양이 사실 지능이 매우 높고 감정적으로 복잡한 동물로서 기억력이 좋으며 우정을 맺을 줄 알고 또 동무가 도살장으로 갈 때는 슬픔을 느끼는 능력이 있다는 사실을 지적해 둘 필요가 있겠다.

율리아누스는 공개적으로 폭력적 방법에 반대했다. "나는 갈릴리인들을 인도적으로 부드럽게 상대하기로 결심했다. 어떤 식으로든 폭력에 의존하는 것은 금한다……. 사람을 설득하고 가르치는 일은 주먹질이나 모욕이나 고문으로 하는 게 아니라 이성으로 해야 하기 때문이다." 나아가서 "그렇게 중요한 문제에서 잘못을 범하는 불운한 사람들에게는 증오보다는 연민을 느껴야 한다".

이것은 원칙인 동시에 실용주의이기도 했다. 기적과 순교는 초대 기독교가 잘 팔리게 한 두 가지 중요한 장점이었다. 종교를 위해 죽고 영생을 얻는다는 것. 이는 오늘날에도 여전히 영향력 있는 생각이다. 하지만 율리아누스는 기독교인을 죽이는 박해는 하지 않으려 했다. 그들이 지상의 삶이라는 느리고 구불구불하고 돌투성이인 길을 가도록 강요했다. 자신의 피를 이용해 터보차저가 달린 듯한 맹렬한 속도로 천국을 향해 곧장 날아가는 대신 먼 훗날 그곳에 이를 가능성을 보며 지루한 인간 수명 동안 땀을 흘리게 했다. 이 전술은 교활했다. 간절히 죽고 싶은 자들에게서 순교를 박탈하면 갈릴리인들의 예외적 상황이 그렇게까지 예외적으로 보이지 않을 수도 있었기 때문이다. 단순한 교리 차이에 불과한 것으로 축소되어 버릴 수도 있었으니까.

같은 이유로 율리아누스는 통치를 시작하면서 "콘스탄티우스가 추방한 주교들"을 다시 부르는 "영리한 관용"을 보여주었다. "그들은 아리우스파*였으며, 율리아누스는 이들을 교회에 풀어놓았다." 역사가이자 군인인 암미아누스 마르켈리누스가 말한 대로 "기독교인은 자기들끼리 싸울 때 야수보다 사납다는 것을 알았기 때문이다". 더 도발적인 것은 율리아누스의 예루살렘 성전 재건 계획이었다. 예수는 자신의 재림 전에는 성전이 재건되지 않을 것이라고 제자들에게 말했고, 그의 재림은 세상의 영광스러운 종말을 뜻했다. 그리스도

---

* 예수의 신성을 부정했다.

의 예언이 거짓임을 보여주겠다는 '배교자'의 교묘한 계획은 짧은 치세 때문에 실현되지 않았지만 그런 접근법은 단순히 군사력으로 맞서는 것보다 종교에 훨씬 위험했다.

이렇게 율리아누스는 살육을 거부하며 "부드럽게", 온유하게, 관용으로 갈릴리인들을 공격했다. 그 모두가 기독교의 덕목이라고 생각할 수도 있겠다. 그러나 당대 또는 훗날에도 기독교인이 매력을 느낀 기독교 덕목은 아니었다. 나지안주스의 그레고리우스(329?-390)는 초대 교부教父로서 아테네에서 함께 공부할 때부터 율리아누스를 알았다. 그는 글에서 율리아누스를 괴물로 그리려 하면서 황제가 기독교인에게 순교의 왕관을 주지 않으려 한 것이 얼마나 큰 압제인지 노골적으로 또 일관되게 불평한다. 얼마 뒤 성 히에로니무스(347?-420)는 율리아누스의 온유한 박해blanda persecutio를 격렬하게 비난한다.

이를 보며 학창 시절의 우스개가 떠오른다. 문. 사디스트의 정의는? 답. 마조히스트에게 상냥한 사람.

암미아누스는 율리아누스를 다음과 같이 묘사한다.

그는 중키에 머리카락은 빗은 듯 가지런했으며 빳빳한 턱수염은 끝이 뾰족하게 길렀다. 눈은 맑게 반짝여 활기찬 지성을 드러냈으며, 눈썹은 뚜렷하고 코는 곧았는데 약간 큰 입은 아랫입술이 늘어져 있었다. 목은 굵고 약간 굽었으며 어깨는 크고 넓었다. 머리에서 발까지 완벽하게 균형이 잡혀 튼튼하고 달리기를 잘했다.

턱수염은 중요하다. 이것은 철학자의 표시다. 또한—또는 따라서—의도적으로 개인적 허영심을 없앤 사람의 표시다. 율리아누스는 전형적인 카이사르나 황제처럼 보이지 않으려 했다. 그가 멀리 갈리아에서 예상치 못한 승리를 거두고 있었을 때 콘스탄티우스를 둘러싼 조신들은 그가 "사람이라기보다는 염소"라고 조롱했다. 또 "재잘거리는 두더지", "자주색* 옷을 입은 원숭이", "그리스의 딜레탕트"라고도 했다. 율리아누스는 콘스탄티노플에서 궁정을 물려받았을 때 그곳이 깊이 타락하여 이기적이고 쾌락을 사랑하며 좋은 옷과 좋은 직물과 폭식에 탐닉하고 있다는 사실을 알았다. "전투의 승리가 식탁의 승리로 대체되었다." 암미아누스는 그렇게 논평했다. 군인들은 군기가 완전히 빠졌다. "술잔이 검보다 무겁고", 매트리스에는 오리털이 들어가 있고, "군대는 전통적인

* 황제의 색이다.

군가 대신 여성적인 음악당 노래를 연습했다." 초기에 황제가 머리를 다듬으려고 이발사를 부른 일이 있었다. 이발사가 화려한 옷을 입고 나타나자 황제가 말했다. "나는 이발사를 불렀지 국고 관리인을 부른 게 아닌데." 그는 이발사에게 얼마를 버느냐고 물었다가 답을 듣고 깜짝 놀랐다. 그는 "이런 부류의 사람들을 똑같은 보수를 받고 있던 요리사 등과 함께" 즉시 내보냈다.

원두당圓頭黨* 대 왕당파, 청교도 대 교황파의 싸움인 셈이었다. 머리카락이 중요했고 또 뭔가를 보여주었다. 황제 즉위 초기 알렉산드리아에서 반란이 일어나 민중이 기독교 당국에 대들었다. 죽임을 당한 하급 관리 가운데 화폐 주조 감독인 드라콘티우스와 범죄나 종교에서 그의 동지인 디오도루스가 있었다. 디오도루스의 죄에는 "교회 건축을 지휘하던 중 긴 머리는 이교 신앙의 특징이라 하여 사내아이 몇 명의 곱슬머리를 마음대로 잘랐다"는 것도 있었다. 이 두 기독교인은 밧줄로 한데 묶어 죽였으며 난도질한 몸뚱이는 낙타에 싣고 해변으로 가져가 그곳에서 태우고 재는 바다에 던졌다. "유해를 모아 그 위에 교회를 지을까 두려웠기 때문이다."

---

* 1642-1651년 영국 내전 당시의 의회파.

율리아누스는 페르시아로 가는 길에 도시 안티오크에서 쉬었다. 그곳은 여러 가지로 그에게 불쾌했다. 기독교, 쾌락, 타락, 인색, 나태. 그러나 그곳에는 가장 거룩한 이교도 신전으로 꼽히는 곳이 있었다. 교외인 다프네에 있는 아폴로 신전으로, 달아나던 다프네가 월계수로 변한 바로 그 자리에 세워져 있었다. 안에는 포도나무로 만든 아폴로상이 있었는데 키가 13미터에 황금 망토를 두르고 있었다. 그 당당함에서 올림피아의 제우스상에 비길 만하다고들 했다. 율리아누스는 콘스탄티노플을 떠날 때 미리 자기 도착에 맞추어 신전을 복원해 놓으라고 지침을 내렸다. 그는 희생으로 쓸 짐승, 헌주, 화려한 복장으로 도열하여 자신을 맞이할 도시의 젊은이를 상상하고 있었다. 그러나 아무런 준비도 되어 있지 않았다. 안티오크가 희생으로 무엇을 준비했느냐고 묻자 사제는 보잘것없는 거위 한 마리를 내놓았는데 그마저도 자기 집에서 가져온 것이었다.

그러나 태만과 무례 이상의 문제가 있었다. 신전 자체가 율리아누스 자신의 형제 갈루스에 의해 더럽혀져 있었다. 갈루스는 안티오크 총독 시절 그 지역 기독교 순교자인 성 바빌루스의 교회를 신전 바로 옆에 짓고 성자의 시신을 그곳에 옮겨 안치했다. 율리아누스는 그 전에 델포이에서 아폴로의 여사제를 만나 왜 신탁이 멈추게 되었느냐고 물은 적이 있었다. 여사제는 답했다. "죽은 자들이 내가 말하는 것을 막고 있다. 숲이 정화되기 전에는 아무 말도 하지 않을 것이다. 무덤들을 열고 뼈를 캐내 죽은 자들을 옮겨라." 율리아누스는 이 명령에 순종하여 바빌루스의 석관을 꺼내 갈루스가 처음 꺼내 왔던 순교자 무덤에 도로 갖다 놓게 했다. 그러자 거리에서 폭동에 가까운 항의가 터져 나왔고 황제에 대한 욕이 들리기도 했다. 결국 기독교인 몇 명을 체포하여 "채찍과 쇠집게발로 고문했다". 그러자 이틀 뒤 아폴로 신전이 불에 타 무너지면서 포도나무 목재로 만든 13미터 높이의 신도 다 타버렸다. 물론 기독교도가 의심을 받았다(하지만 밀랍 초를 부주의하게 다룬 이교도가 범인이었을 수도 있다).

율리아누스를 맞이하는 안티오크인의 반응은 엇갈렸다(하긴 그는 그 도시에 6만 병력을 주둔시켰다). 그들은 그를 원숭이, 턱수염을 기른 난쟁이라고 불렀고, 동물 희생제를 좋아한다는 이유로 도끼를 휘두르는 자라는 별명을 지어주었다. 다른 통치자라면 폭력을 행사했을 수도 있지만 율리아누스는 문학적 도끼로 응답하는 쪽을 택했다. 그는 이 도시와 주민을 두고 「턱수염 혐오자」라는 풍자문을 지어 발표했다. 이 글은 이상한 소요학파逍遙學派적 텍스트로 일부는 논박이고 일부는 자기 정당화이며 이곳저곳에서 친구처럼 굴기도 하고 어떤 곳에서는 오만하게 자전적으로 흐르면서 농담을 던지기도 하며 아이러니를 섞어 비꼬기도 한다. 전체적으로 보자면 연극적인 태도로 자기를 깎아내리는 내 탓이로소이다mea culpa풍의 글이다. 유머를 섞어 세련된 불평을 하고 거기에 자기 성격에 대한 공적 검토를 보태면 시민의 마음을 얻을 수 있을 거라고 율리아누스가 상상하기라도 한 것 같다. 그러나 그런 결과를 얻었다는 증거는 없다.

그는 자신의 본성과 인생관이 형성된 과정을 설명한다. 어머니가 일찍 죽은 일, 자신을 가르친 환관, 갈리아에서 켈트인과 보낸 시간. 또 유전도 고려해야 한다. "나의 집안은 다뉴브 강변의 모에시아인인데 이들은 대단히 상스럽고 검박하고 서툴고 매력 없고 움직이지 않고 머물러 있기를 스스로 선택한 종족이다. 이 모든 것이 끔찍한 상스러움의 증거다." 그 결과 자신은 실제로도 사람들이 자신을 희화화하는 모습 그대로다, 그 이상은 아닐지 몰라도. 거칠고 부스스하고 유명한 턱수염은 "마치 야생동물이 사는 덤불인 양 날쌔게 돌아다니는 이"가 가득하다. 더 심각한 문제도 있다.

나는 머리나 손톱을 거의 깎지 않는 데다 손가락은 펜을 사용하는 바람에 거의 검은색이다. 또 보통 비밀로 해두는 것을 알고 싶다면, 내 가슴은 야생동물 사이에서 나처럼 군주인 사자의 가슴과 비슷한데, 평생 나는 그걸 깎은 적이 없기 때문에 그 꼴은 매우 초라하고 텁수룩하다. 나는 또 내 몸의 다른 어떤 부분도 매끈하고 부드럽게 다듬은 적이 없다.

그는 스스로 털을 뽑는 자들의 도시에서 이가 들끓는 난쟁이다. "여러분은 모두 잘생기고 키가 크고 피부가 매끈하고 턱수염이 없다. 늙었건 젊었건…… 의로움보다 '갈아입을 의복과 따뜻한 목욕과 침대'를 좋아하기 때문이다." 그는 안티오크인 입에서 욕이 나올 만한 모욕을 더 늘어놓는다. 황제는 짜증 날 정도로 온화하고 거짓되게 겸손하고 잘난 체하는 게 느껴질 만큼 과도하게 경건하다. 이런 아이러니 섞인 자기 성격 규정을 읽는 독자가 율리아누스 쪽으로 넘어갔을지 의심스럽다. 우선 그들에게는 직접 비교할 수 있는 대상이 있었다. 율리아누스 전에 통치하면서 기독교인으로서 멋진 새 교회를 지어주었던 그의 형제 갈루스. 율리아누스는 어두운 농담의 분위기에서 삼촌인 (기독교인) 황제 콘스탄티우스를 언급한다. "따라서 내가 솔직하게 말하면 참고 들어주기 바란다. 한 가지 일에서 콘스탄티우스는 너희에게 해를 끼쳤다. 나를 카이사르로 임명하면서 나를 죽이지 않은 것이다."
만일 이게 대중 연설이었다면 군중은 아마 이 대목에서 박수
를 쳤을 것이다.

율리아누스의 이 풍자문의 한 가지 문제는 아이러니에는
한계가 있다는 것이다. 그가 상스럽다고 여겨진다는 사실을
방어하면서 그렇게 지나치게 세련되게 구는 것은 설득력이
없다. 사실, 타당성이 없는 것처럼 보이기까지 한다. 율리아
누스는 논증으로는 절대 안티오크인을 굴복시키기는커녕 동
의도 얻어내지 못할 것이다. 늘 지는 자리에서 출발하기 때
문이다. 어느 지점에서 그는 고통스러워하는 목소리로 묻는
다. "너희가 나를 적대하고 미워하는 이유가 [……] 무엇이
냐?" 그러나 그 답은 뻔하고, 사실 율리아누스 자신의 텍스
트에 이미 나와 있다. 안티오크인이 그를 미워한 것은 그가
그들의 종교를 폐위하고 그 자리에 이교 신앙을 다시 들여
놓았기 때문이다. 그가 자신들의 지역 성자이자 순교자의 뼈
를 캐내는 신성모독을 자행했기 때문이다. 곡물가를 안정시
키려는 시도가 역효과를 낳아 매점과 물가 상승을 일으켰기
때문이다. 그가 또 그들의 법정에 앉아 사법에 개입했기 때
문이다. 크게 보자면 그가 자신들의 문화를 경멸하기 때문이
다. 그가 연극을 경멸하고 말 경주를 따분해하고 음악과 춤

을 멸시하기 때문이다. 그가 여자들을 잘 다스리라고 조언하면서 동시에 그 여자들에게 유혹당하지 않기 때문이다. 그가 세련되지 못한 외부자, 교양 있는 태도와 거리가 먼 자, 털을 뽑지 않은 꾀죄죄한 자이기 때문이다. 다 합쳐서 한마디로 '턱수염'이기 때문이다.

율리아누스는 불평을 끝내면서 선언한다. "나는 너희의 도시를 너희에게 맡기고 기꺼이 떠난다." 그는 안티오크에서 실패했다는 것을 깨닫고 그래서 다시는 돌아오지 않겠다고 맹세하고 출발한다. 그는 전형적이지 않은 황제로서 최근친을 살육하거나 정적을 제거하는, 또 내키는 대로 고문하거나 처형하는 전통적 의식을 거행하기를 망설였다. 다른 신앙에 관대했기 때문에 전투가 끝난 뒤에 적에게 관용을 베풀었다— 대개는. 그러나 우리는 이 시대를 고려하면서 그의 군인 경력 초기 오세르에서 트루아로 행군하던 때 발생했던 사건도 떠올릴 수밖에 없다. 율리아누스군은 숲속 깊은 곳에서 알라만족에게 습격당했다. 중과부적이었고 패배가 당연한 것 같았기 때문에 군단병 다수가 달아나려 했다. 율리아누스의 군인으로서의 경력, 나아가 목숨까지도 위기에 처했다. 그의 타개책은 전투에서 승리한 뒤 자신에게 가져오는 게르만인의 머리 하나마다 개인적으로 포상금을 주겠다는 것이었다. 그러자 병사들은 고무되어 적을 미친 듯이 죽였고 이어 쓰러진 적의 머리를 벴다. '머릿수'라는 말이 이처럼 큰 의미를 지니는 일은 전무후무할 것이다.

율리아누스는 동방 원정을 떠나면서 6만 병력을 이끌었는데 어떤 카이사르도 이런 대군을 이끌고 페르시아에 들어간 적이 없었다. 그는 부하들에게 거친 포도주와 비스킷이나마 풍부하게 공급했다. 그러나 황제의 관용적 기질은 원정 때도 잘 드러나지 않았다. 율리아누스군의 공격 초기에 요새가 없는 도시의 거주자들은 그가 다가오면 달아났다. 기번의 말을 빌리면, "약탈할 물건과 식량이 가득한 그들의 집은 율리아누스의 병사들이 차지했으며, 이들은 아무런 가책 없이 무력한 여자들까지 학살했으나 벌을 받지 않았다." 비옥한 아시리아 평원에 이르렀을 때 "이 철학자는 죄 없는 사람들에게 강탈과 잔혹 행위로 보복했다". 도시 마오가말카를 점령했을 때는 "무차별 학살"이 벌어졌고 "자비를 약속받고 항복한" 총독은 "산 채로 화형을 당했다". 이 도시는 완전히 파괴되었는데 기번은 차갑게—사실 오만하게—이 행동에 무관심한 태도를 드러냈다. "이런 고의적 유린이 우리의 가슴에서 어떤 격한 연민이나 분개의 감정을 불러낼 필요는 없다. 진정한 가치로 따지자면 그리스 예술가의 손으로 완성된 단순한 나체상이 이런 야만적인 노력의 무례하고 값비싼 기념비들보다 훨씬 중요하다. 만일 우리가 오두막을 태우는 것보다 궁정을 무너뜨리는 데 더 충격을 받는다면 우리의 인간성이 인간 삶의 참상을 매우 그릇되게 평가하고 있는 것이 틀림없다." 다시 말해서, 그들에게 공감을 낭비하지 말자.

그렇다고 그곳을 유린한 사람들이 자기들이 발견한 것에도 무관심했다는 뜻은 아니다. 페리사보르의 항복 후 율리아누스의 병사들은 많은 양의 곡물과 무기만이 아니라 "화려한 가구"도 발견했는데 이것은 "일부는 군인들이 나누어 갖고 일부는 공적인 목적을 위해 따로 보관했다". 이 보물 가운데 병사들이 말짱하게 가지고 돌아간 게 얼마나 되는지는 기록에 남아 있지 않다. 그러나 그런 보물은 거의 없는 게 분명한 것이 그 직후 티그리스강을 건넜을 때 율리아누스는 논란의 여지는 있지만 말 그대로 배를 태웠기* 때문이다. 그의 논리는 강이 범람하면 상류로 항해하는 것이 불가능하며, 그렇다고 배를 태우지 않고 내버려두면 적에게 선물을 주는 꼴이 된다는 것이었다. 알렉산드로스 대제도 똑같은 일을 한 적이 있었다.

---

* 비유적으로는 배수진을 친다는 뜻이 된다.

율리아누스는 자기 병사들이 약탈하고 강간하는 동안 늘 그들과 거리를 둔 채 높은 중심에서 절제와 냉철을 유지하고 있었다. 그에게는 기후 이론이 잠깐이라도 적용되지 않았다. 다시 기번의 말. "호사를 누릴 만한 위치에 있는 사람들에게 모든 관능적 욕망의 만족을 추구하라고 권하는 아시리아의 따뜻한 기후에서도 젊은 정복자는 어김없이 순수하게 순결을 유지했다. 호기심에서라도 절세의 미모를 가진 여자 포로들을 한번 찾아가 볼 만하건만 율리아누스는 그런 유혹에도 넘어가지 않았다. 아마 그가 갔다면 이 포로들은 권력에 저항하는 대신 그의 품에 안기는 영예를 두고 서로 다투었을 것이다."

율리아누스는 비록 관대하거나 관용적인 부류라고는 하지만 어쨌든 광신자로 묘사된다. 비단 그의 군사적 적대자만 그렇게 본 것이 아니다. 이런 비난은 우선 그가 자기 종교의 신비주의적인 면에 깊이 빠져 있는 것과 관련되어 있다. (이교도가 아닌 자들은 겉모습이 차분하고 철학적인 이교 신앙을 선호하는 경향이 있다.) 둘째로 율리아누스는 전조를 파악하는 문제에서 너무 멀리—너무너무 멀리—나아간다고 여겨졌다. 그의 세계에는 이교도 신들이 빽빽했는데 그들 각각 서로 다른 능력과 전문 분야가 있었으며 그는 그것을 모두 알아보고 떠받들어야 했다. 여러 신탁에 의지해야 했고 수많은 새와 동물을 죽여 해체해야 했다.

외적인 징후와 조짐 외에도 내적인 것, 몸과 영혼의 징조와 조짐이 있었다. 이것은 "뼈가 근질거리는 느낌이야" 같은 아마추어적인 것이 아니었다. 그 뒤에는 정식 철학 이론이 있었다. "다가오는 사건들은," 암미아누스의 말에 따르면, "사람의 심장이 타는 듯한 느낌으로 드러나기도 하는데, 이느낌이 예언을 낳는다." 자연 철학자들의 말에 의하면, "우리 정신은 말하자면 태양이 내뿜는 불꽃인데, 태양은 우주의 정신이기에 그 불꽃이 크게 타오르면 미래를 알게 된다. 그래서 무녀들은 종종 몸 안에서 심장이 타오르고 커다란 불이 자신을 삼키고 있다고 말한다."

그다음에 해몽이 있다. 암미아누스는 아리스토텔레스가 한 말을 인용하여 꿈을 꾸는 사람이 깊은 잠에 들어 "눈동자가 좌우를 향하지 않고 똑바로 앞을 보고 있을" 때는 꿈이 "확실하고 믿을 만하다"라고 말한다. 복점관卜占官과 황제는 그렇게 다양한 예언 도구를 손에 쥐고 있으니 그것만 상호참조해도 아주 확실한 예언을 내놓을 수 있었을 것이라고 생각할지도 모르겠다. 하지만 새의 창자가 꿈이나 불타는 심장이나 동굴의 무녀가 모호한 표현으로 진실을 휘감으며 말한 것과 일치했을까?

또 점에는 문제가 내재되어 있었다. 키케로가 말한 대로, "신들은 우리에게 미래 사건의 징조를 준다. 우리가 그 사건에 관해 잘못 안다면 문제는 신에게 있는 게 아니라 인간의 해석에 있는 것이다." 따라서 우리는 계속 점의 무오류성과 어설픈 우리 자신의 오류 가능성을 상기하게 된다.

율리아누스는 제국 서부를 평정하고 삼촌 콘스탄티우스와 대결하러 가는 길에 다키아에 멈추어 "희생의 내장을 살피고 새들의 비행을 관찰하느라 바쁜 시간을 보냈다". 처음도 아니지만 답은 "모호하고 흐릿했다". 그때 내장 점이 전문인 갈리아의 수사학자가 간에 두 겹의 막이 덮여 있는 것을 발견했는데, 이것은 성공적인 원정을 약속하는 것으로 보였다. 도대체 어떻게, 도대체 왜 그러한 것인지 암미아누스는 우리에게 말해주지 않는다. 어쨌든 그것으로도 점 문제는 정리되지 않았다. 이것이 자신에게 아첨하기 위한 가짜 복점일지도 모른다고 율리아누스가 걱정했기 때문이다. 그래서 스스로 설득력 있는 징조를 얻을 때까지 다키아에서 뭉그적거렸다. 그러던 어느 날 율리아누스가 말에 오르는데 오른손으로 황제의 발을 받쳐주던 병사가 미끄러져 넘어졌다. 혹시 그 병사의 목이 달아나지나 않았을까 걱정할지 모르지만, 율리아누스는 이것을 인간이 무능하다는 뜻으로 읽은 것이 아니라 "율리아누스를 높은 자리로 올린 자"(즉 콘스탄티우스) 자신이 쓰러졌음을 신들이 보여준 것으로 읽었다. 그럼에도 율리아누스는 망설였는데 마침내 사절들이 도착하여 콘스탄티우스가 실제로 그 병사가 미끄러진 순간에 죽었으며, 임종 때 율리아누스를 후계자로 지명했다고 확인해 주었다. 기적적인 우연의 일치였을까, 아니면 그저 일반적인 현실로, 신들은 원래 그들 밑의 세계를 이런 식으로 운영하는 것일까? 어느 쪽이든 이번만큼은 징조가 정확하게 해석된 셈이었다.

율리아누스는 페르시아 원정을 준비할 때도 당연히 점을 쳤다. 암미아누스가 말한 대로, "그가 신들의 제단을 적실 피를 흘리는 희생의 수가 너무 많았다. 간혹 황소 100마리에 다른 헤아릴 수 없이 많은 동물, 거기에 흰 새들까지 바쳤는데, 그런 동물을 찾느라 땅과 바다를 샅샅이 뒤졌다." 광신이었을까, 아니면 군인의 직업 정신이었을까? 어느 쪽이든 이런 행동에는 희극적인 부산물이 따랐다.

그 결과는 군인들의 무절제한 습관으로 나타났는데, 고기를 잔뜩 먹는 데다 술까지 탐하는 바람에 군기가 풀어져 군인 몇 명이 매음굴에서 방탕한 행동을 한 뒤 행인에게 업혀 숙소로 오는 일이 거의 매일 벌어졌다.

유프라테스강을 건너 아시리아로 행군해 들어간 뒤 율리아누스가 점을 치기 위해 행군을 멈추는 일이 늘어났으며 황제의 귀를 차지하려는 경쟁자들 사이에서 싸움이 벌어졌다. 예를 들어 에트루리아의 점쟁이 무리가 있었는데 이들은 전시에 사용하는 특별한 교본을 가져왔으며 이것에 따르면 설사 명분이 정당해도 다른 사람들의 영토에 들어가는 것은 금지된 일이었다. 철학자 무리는 이런 에트루리아인의 경고를 "경멸하며 물리쳤는데" 이때는 이들이 상승세를 타는 중이었다.

하지만 무엇이 신들이 보낸 징조고 무엇이 아닐까? 363년 4월 7일 저녁 구름이 다가오더니 먼지 소용돌이가 되어 땅을 뒤덮었고, 그다음에는 큰 폭우가 쏟아져 거기 휩쓸린 요비아누스라는 사람과 그가 물을 먹이러 데리고 나갔던 말 두 마리가 벼락에 맞아 죽었다. 날씨 점 전문가들은 이 현상이 "경고하는 벼락"이라는 놀라운 이름이 붙은 범주에 맞아떨어진다고 결론을 내렸다. 그들의 해석에 따르면 원정을 진행하지 말아야 했다. 그러나 이번에도 철학자들은 이런 설명을 헛소리로 치부하고 이것이 완벽하게 정상적인 날씨이며 설사 그것이 어떤 조짐이라 해도 그저 자연이 황제에게 경의를 표한다는 뜻일 뿐이라고 선언했다. 원정은 계속되었다.

율리아누스는 크테시폰 외곽에서 로마군 70명 전사를 대가로 페르시아군 2500명을 죽였다고 전해지는 승리를 거둔 뒤, '복수의 신' 마르스에게 계속 승리를 거두게 해달라고 희생제를 드리기로 하고 이 제사를 위해 좋은 황소 열 마리를 주문했다.

그러나 제단에 이르기 전에 아홉 마리가 스스로 땅에 주저앉았다. 열 번째는 고삐를 끊고 탈출하는 바람에 힘겹게 찾아왔고, 그 황소를 도살했으나 징조가 좋지 않았다. 율리아누스는 그 징조를 보고 화가 나서 소리를 질렀다.

그래서 율리아누스가 어떻게 했을까? 희생제에 쓸 좋은 황소를 조달한 사람에게 벌을 내렸을까? 더 심한 행동을 했을까? 전혀 아니었다. 그는 "다시는 마르스에게 희생제를 드리지 않겠다고 유피테르에게 맹세했다". 짜증에서 나온 과도한 반응이었을까? 어리석게 운명을 시험한 것일까? "그는 이 맹세를 철회하지 않았다. 그 뒤에 곧 죽음이 그를 데려갔기 때문이다."

그리고 그 죽음도 많은 예언 재료에 의해 진행되었다. 죽기 전날 밤 "로마 사람들의 수호신이 그에게 모습을 드러냈다". 그가 갈리아에서 아우구스투스라는 존엄한 자리에 오를 때도 그런 일이 있었는데, 이번에 이 수호신은 "슬퍼하며 머리와 풍요의 뿔을 베일로 가린 채 막사의 휘장들 사이로" 떠났다. 그러자 율리아누스는 밖으로 나갔고 그 순간 "떨어지는 별처럼 타오르는 빛"을 보고 "마르스의 별*이 그렇게 노골적으로 위협을 하는 모습으로 자신에게 나타났다는 생각에 공포에 사로잡혔다". 에트루리아인 점쟁이들을 부르자 그들은 다시 전투를 연기해야 한다고 선언했다. 율리아누스는 이번에도 그들을 물리쳤다. 그들은 적어도 출발이라도 몇 시간 늦추라고 간청하며 "그들의 모든 복점 지식을 동원했으나" 어떤 양보도 얻어내지 못했다. 율리아누스는 행군했고, 율리아누스는 죽었다.

"들어보았나? / 별에 다 나타난다네 / 다음 7월에 우리는 화성과 충돌하지 / 그래, 들어는 봤는가?"**

---

* 화성을 뜻한다.
** 1956년 미국 뮤지컬 영화 「상류사회」에 나오는 콜 포터의 곡 「Well, Did You Evah?」에 나오는 구절이다.

이후 수백 년 동안 지지자들에게 율리아누스는 유혹적인 인물이었다. '패배한 지도자.' 만일 그가 30년 더 통치하여 기독교를 매년 주변으로 부드럽게 몰아내다가 강력하게 그리스와 로마의 다신교를 다시 강화했다면 어떻게 되었을까? 그리고 그 뒤 수백 년 동안 그의 후계자들이 같은 정책을 추구했다면 어떻게 되었을까? 그랬다면 어떻게 되었을까? 오랜 그리스-로마의 방식들이 말짱하게 남아 있고 위대한 학문적 장서들이 파괴되지 않았기 때문에 아마 르네상스는 필요 없었을 것이다. 계몽주의의 많은 부분이 이미 나타났기 때문에 계몽주의가 따로 필요하지 않았을 것이다. 엄청나게 강력한 국교의 강요로 인한 오랜 세월의 도덕적·사회적 왜곡을 피할 수 있었을 것이다. '이성의 시대'가 도래했을 때 우리는 이미 그런 시대를 14세기 동안 살고 있었을 것이다. 특이하고 별나지만 해로울 것 없는 믿음—아니 해로울 것 없게 만들어놓은 믿음—을 지닌 채 살아남은 기독교 사제들은 유럽 헬레니즘이 발전하여 다다른 세계의 자비롭고 관대한 보호하에 이교도와 드루이드교 사제와 숟가락을 구부리는 마술사와 나무를 숭배하는 자와 유대교도와 이슬람교도 또 기타 등등과 함께 동등하게 어깨를 맞대고 살아갔을 것이다. 지난 1500년 동안 종교전쟁이 없었다고, 또 어쩌면 종교적 또는 심지어 인종적 박해도 없었을 것이라고 상상해 보라. 과학이 종교의 방해를 받지 않았다고 상상해 보라. 선교사는 토착민에게 믿음을 강요하지 않고 함께 온 군인은 금을 훔치지 않았다고 상상해 보라. 헬레니즘에 속한 사람들 대부분이 믿은 것, 즉 인생에 기쁨이 있다면 그것은 우리가 죽은 뒤의 어떤 터무니없는 디즈니화된 천국에서가 아니라 우리의 인생이라는 지상의 짧은 이 시간 동안 누리는 것이라는 믿음이 지적으로 승리했다고 상상해 보라.

물론 이런 대안적 역사도 기독교 천국과 마찬가지로 환상에 불과하다. 엘리자베스 핀치라면 누구보다 먼저 짚고 넘어갔겠지만 우리는 매일 인간이라는 굽은 목재를 상대해야 한다. 비이성과 탐욕과 자기본위. 교배를 통해 인간에게서 이것을 없앨 수 있을까? 또 행동에 영향을 미치는 요인으로 공포도 고려해야 한다. 지옥 불에 대한 공포, 하느님의 은총 밖에 놓이게 되는 공포, 영원한 저주에 대한 공포. 설사 강요된 덕을 진정한 덕으로 받아들일 수는 없다 해도. 하지만 계몽주의 사상가들을 다그칠 때는 이런 식으로 주장하기도 했다. 기독교 가르침과 계명의 속박을 느슨하게 풀어보라, '최후 심판'이라는 개념을 없애보라, 사람이 야생으로 돌아가는 것을 뭐가 막겠는가? 그렇다고 그 계몽주의 철학자들 가운데 누구도 야생으로 돌아갔다는 뜻은 아니지만. 아, 하지만 보통 사람들은 어떨까? 아마도 종교가 자신의 회중을 그렇게 불신한다는 건 이상한 일일 것이다. 물론 사제는 누구보다 목자가 자신의 양 떼를 잘 안다고 대답할 것이다. 그러나 교회가 자신의 힘과 영향력을 잃는 것을 경계하는 태도는 편집증에 가까웠다. 이렇게 우리는 다시 율리아누스에게로 돌아간다.

이 모든 것을 엘리자베스 핀치와 토론했으면 하는 마음이 든다. 그녀라면 나의 엉성한 생각을 수정해 주고 서사를 매끈하게 다듬는 것(또는 거칠게 힘을 싣는 것)을 도와주었을 것이다. 내가 하고 있는 일이 그녀가 나에게 바랐을 만한 것일까? 이 문장은 의미 있는 것이 되기에는 헤아릴 수 없는 것이 너무 많다. 하지만 내가 아직도 그녀를 몹시 그리워한다는 것은 분명하게 보여준다.

그리고 그녀라면 지적했을지 모르지만, 사뭇 다르게 끝이 날 수도 있었다. 통치자들은 세월이 흐를수록 거의 예외 없이 더 보수화되고 관용은 줄어든다. 따라서 율리아누스가 실제로 30여 년을 더 살았다고 가정해 보자. 그 기간에 갈릴리인을 온화하게 박해한다는 자신의 정책이 성에 찰 만큼 빠르게 효과가 나타나지 않는다고 생각하게 되었어도, 그가 과연 정책을 바꾸지 않았을까? 그것은 어쩌면 그의 교활한 적들 다수가 계속 순교할 방법을 찾아냈기 때문일 수도 있다. 이교도 신전에 대한 방화 공격이 더 많았을 수도 있고, 심지어 황제의 목숨을 노리는 시도들도 있었을지 모른다. 그래서 율리아누스가 기독교인을 가혹 고문peine forte et dure—무거운 돌로 짓누르는 것—에 처하여 그들의 종교를 연약한 상태로 만들어버렸다면 어쩔 것인가? 그는 그들에게 그들이 원한다고 주장하는 순교를 준다—그리고 훨씬 많은 것을. 그러자 이 행성에서 갈릴리인들의 수가 크게 주는 것을 알게 된다. 잔혹은 온화보다 효과가 낫지는 않아도 적어도 그만큼은 효과가 있는 것처럼 보인다. 결국 이후 수백 년 동안 이 점점 주변화하는 종파에 소속된 얼마 남지 않은 구성원들은 율리아누스의 이름만 들어도 소름이 끼칠 것이고, 그의 이름은 점점 더 저주의 대상이 되어갈 것이다.

그러나 실제로는 기독교인이 율리아누스의 이야기를 쓰게 되었다. 키루스의 테오도레토스(393?-460?)는 두 가지 중요한 주장을 했다. 율리아누스는 뛰어난 장군으로 여겨졌지만 사실 초보적인 실수를 하는 형편없는 전략가였다. 배를 태워버림으로써 부하들의 사기를 꺾었다. 40도의 더위에 바싹 마른 사막을 가로질러 행군한 것도 마찬가지였다. 황제는 미리 보급품을 주문하지 못했고, 통과하는 나라를 효율적으로 약탈하지도 못했다.

테오도레토스의 두 번째 더 폭넓은 주장은 이교도 신들의 본성에 관한 것이었다. 게르만 숲에서 만들어졌든 그리스 신전에서 만들어졌든 그들이 신으로서 별로 유능하지 못하다는 점에서는 똑같다. 그들이 존재하지 않는다는 것이 아니라, 많은 이교도 신은 하나뿐인 (또는 삼위일체인) 기독교 신, 거기에 그 모든 성자와 순교자를 모은 집단만큼 강하지 못하다. 이교도 신들은 변덕스럽고 제정신이 아니다. 테오도레토스는 말했다. "전쟁을 한다고 시끌벅적하게 떠들기만 하는 아레스는 한 번도 율리아누스를 도우러 오겠다는 약속을 지키지 않았다. 록시아스*는 점의 결과를 거짓으로 알려주었다. 벼락 던지기를 즐기는 신은 율리아누스를 죽인 사람 쪽으로는 그것을 보내지 않았다." 이것은 종교적일 뿐 아니라 정치적인 주장이기도 하다. 우리 종교가 더 진실할 뿐 아니라 우리 신이 더 강하고 더 믿음직스럽다. 우리와 함께하면 지금보다 나아질 것이다. 갈릴리인들에게 한 표를!

질문. 신을 더 섬기지 않으면 무슨 일이 일어날까(사람들의 마음에)? 신이 더는 존재하지 않게 될까? 아니면 희망을 못

---

* 아폴로의 별칭.

버리고 우주 쓰레기 조각처럼 지구 주위를 돌면서 죽은 주파수로 계속 신호를 보낼까?

다음 신앙 체계들을 비교 대조해 보라.

A. 우리는 모두 하느님의 뜻과 그의 힘에 복속되어 있다. 하느님에게 의무적으로 자주 예배를 드려야 한다. 하느님은 우리에게 징조와 경고를 보내며, 우리는 그것을 이해하고 해석해야 한다. 이생은 영이 몸과 분리되는 이후 생의 준비일 뿐이다. 사람은 이런 분리를 서두를 방법을 찾아야 할지도 모른다.

B. 우리는 모두 신들의 뜻과 그들의 힘에 복속되어 있다. 신들에게 의무적으로 자주 예배를 드려야 한다. 신들은 우리에게 징조와 경고를 보내며, 우리는 그것을 이해하고 해석해야 한다. 영의 행복은 몸의 행복보다 높은 등급이며 따라서 나은 것과 못한 것의 분리는 슬퍼할 일이라기보다는 기뻐할 일이다. 사람은 이런 분리를 서두를 방법을 찾아야 할지도 모른다. 사람은 자신이 죽게 될 장소, 묻힐 장소를 알 수도 있으며, 따라서 차분하고 자신 있게 그곳으로 나아갈 수도 있다.

자고로 차이는 작아 보인다. 그 차이에서 일어나는 나르시시즘과 편집증은 여전히 크다 해도. 한 가지 원인은 일신교의 으스대는 성격이다. "너희는 오직 하나의 신을 가져라. 누가 / 부담스럽게 두 신을 가지려 하겠는가?" 아서 휴 클러프는 그렇게 말했다. 하지만 하나만 가지는 것도 사실 부담이다. 그가 모든 답을 갖고 있고, 모든 조언을 하고, 모든 섬김을 요구하기 때문이다. 하청을 주지 않는다, 이 기독교 신은. 그는 질투심이 많아 혼자 여러 가지 일을 처리한다. 반면 이교도와 헬레니즘의 신은 여럿이고 다양하다. 그 가운데 사람들 각각이 좋아하는 신이 있을 수 있으며 또 신들도 각각 다른 활동을 책임지고 자기가 따로 좋아하는 인간이 있다. 물론 자기들끼리 싸우는 일이 흔하며 이따금 사람이 부수적 피해를 보기도 한다. 그들은 변덕스럽게 사람을 저버릴 수 있고 그래서 늘 그들의 환심을 사둘 필요가 있다. 흰 황소*를 한 마리 더 사는 데 돈을 아끼지 마라! 늘 우리가 안심하지 못하고 긴장하게 하니까, 이 다수의 신은. 기독교의 하느님보다 더? 사실 막상막하다.

신앙 체계 A와 B 사이의 두 번째 지울 수 없는 차이는 바로 나중에 벌어지는 일이다. 두 체계 모두 몸이 있고, 그 안에 영혼이 있으며, 죽으면 영혼이 자유롭게 풀려나와 위로 올라

---

* 특별히 귀한 희생 제물.

간다는 데—수직성의 은유를 선호한다—의견이 일치한다. 그다음에는? 기독교에서는 이제부터 우리 존재의 진짜 드라마가 시작된다. 지상의 삶은 지저분하고 그저 예비적인 것이었다. '저택'의 문이 열리기를 기다리며 별채에 숨어 있는 것. 이 하찮은 지상의 시간이 끝난 뒤에는 천국에서 영속하는 삶—또는 지옥에서 영속하는 죽음—이 있다. 심판의 순간이 다가온 것이다. 그리고 추가의 문제가 있다— 물질의 문제다. 갈릴리인들의 가장 놀라운 발명품은 '몸의 보편적 부활'이다. 우리가 티눈이나 백내장이나 건막류 하나하나에 이르기까지 우리 몸을 영원히 짊어지고 있어야 한다는 이 관념—플라톤주의자들은 이게 터무니없을 뿐 아니라 역겹다고 생각했다.

율리아누스는 죽어가면서 남긴 웅변적인 연설(암미아누스가 지어낸 것이 거의 틀림없다)에서 "더 고귀한 실체가 분리되는 것은 괴롭기보다는 기쁜 일"이라고 언급한다. 그는 "내가 압제자의 잔혹 행위로, 음모의 은밀한 단검으로, 뭉그적거리는 병의 느린 고문으로 괴로워하며 죽지 않게 해준 '영원한 존재'에게 감사의 헌사"를 바친다. '영원한 존재'—이것은 신이라기보다는 율리아누스를 돌보는 일을 맡은 그 자신의 개인적 수호신이다—는 그가 힘을 온전히 지닌 채 "명예로운 경력의 한가운데서" 죽는 것을 허락해 주었다(또는 죽도록 주

선해 주었다, 또는 죽으라고 지시했다). 그의 개인 수호신은, 우리는 주목할 수밖에 없지만, 그가 헬레니즘 이교 신앙을 로마제국이 선호하는 종교로 복원하는 기획을 실행에 옮긴 지 불과 열여덟 달 만에 죽도록 내버려 두었고, 이 기획도 이제 그와 함께 페르시아 사막에서 죽게 된다.

율리아누스는 자기 추도 연설을 한 뒤 주위에 있는 사람들에게 "남자답지 않은 눈물로 이제 곧 하늘과, 또 별들과 결합할 군주의 운명을 욕되게 하지 말라"라고 지시했다. 기번에 따르면 인간 영혼이 천상의 신성한 실체와 결합하는 것은 "피타고라스와 플라톤의 오랜 학설이지만 여기에서는 개인적 또는 의식적인 불멸은 배제하는 것으로 보인다". 흔들림 없이 소멸을 마주하는 데는 튼튼한 정신이 필요하다. 반면 전능한 신적 존재에게 받는 심판을 마주하는 데도 튼튼한 정신이 필요하다.

율리아누스가 그 유명한 마지막 연설을 하지 않았다 해도 기독교인은 승리를 거두었으며 그들도 그것을 알았다. 그 증거로 '배교자'의 가까운 동무나 그의 믿음을 공유한 사람들에 대한 처벌이나 박해는 거의 없었다. 그들은 신학적으로 무장해제를 당했기 때문이다. 이후 천몇백 년 동안 기독교인은 율리아누스 이야기와 거기 담긴 메시지를 통제했다. 율리아누스는 기독교도의 반反만신전에서 핵심 인물의 자리를 유지했으며, 헤롯·빌라도·유다를 말할 때 가래를 뱉듯이 함께 내뱉을 만한 인물이었고, 그의 이름은 악의 상징이었으며, 그가 쓰러진 것은 하느님의 정의, 그리고 하느님이 자신의 하나뿐인 진정한 일신교 교회를 지칠 줄 모르고 방어한다는 사실의 증거였다. "일신교"—이 말을 타자로 칠 때마다 나도 모르게 EF를 생각하게 되니 이상한 일이다.

그러나 이런 우화들은 오염되지 않은 채 살아남는 경우가 거의 없다. 율리아누스는 자신이 아무런 역할을 하지 않았던 순교 이야기들에 얽혀들었다. 나중에는 외견상 세속적으로 보이는 맥락에도 들어가 존중을 받기도 하고 멸시를 받기도 한다. 1498년 로렌초 데 메디치는 율리아누스가 중세의 괴물이라기보다는 비극적 종말을 맞이하는 르네상스 영웅으로 등장하는 희곡을 썼다. 1556년 한스 작스(「뉘른베르크의 명가수」*에 나오는 그 한스 작스다)는 「멱을 감는 황제 율리아누스」라는 제목의 발라드극을 발표했다. 율리아누스는 멧돼지 사냥에 나선다. 나중에 멱을 감는데 천사가 옷을 훔쳐 간다. 왕의 옷을 걸치지 않자 궁정의 신하는 물론 부인조차 황제를

---

* 바그너의 오페라.

알아보지 못한다. 율리아누스는 모든 권력과 가치를 잃는다. 이렇게 초라해지면서 이 이교도는 기독교의 하느님에게 용서를 구하고, 다소 놀랍다고 생각할 수도 있겠지만, 옷과 왕좌와 제국을 돌려받는다.

자기 나름으로 이 '배교자'를 판단해 보려 한 최초의 독립적 근대 사상가는 그에 관한 에세이 「양심의 자유에 관하여」를 쓴 미셸 드 몽테뉴(1533-1592)였다. 이 프랑스인은 스토아철학자에 회의론자에 에피쿠로스철학자였으며, 가톨릭교라는 정치적 껍질 밑으로는 관대한 이신론자였다. 그는 라틴어로 말하며 성장했고 그리스어를 약간 알았다(반면 율리아누스는 그리스어를 말하며 성장했고 라틴어를 약간 알았다). 두 사람 모두 죽음에 대하여 거의 경멸에 가까운 무관심을 스스로 배양했다. 또 두 사람 모두 자기도 모르게 종교적 갈등의 중심에 자리 잡게 되었다. 몽테뉴의 인생 대부분은 1562년부터 1598년까지 300만 명을 죽이며 프랑스를 불구로 만든 '종교전쟁'이 벌어진 기간과 겹쳤다.

몽테뉴는 "프랑스를 내전으로 혼란에 빠뜨리고 있는 현재의 갈등"을 생각하며 에세이를 시작한다. 이런 다툼의 원인, 그리고 치명적인 결과 가운데 하나는 '감정'이 '이성'을 능가하게 되었다는 것이다. 몽테뉴가 지지하는 가톨릭 지배 집단에 속하는 "이성의 인간들"조차 "부당하고 폭력적이고 성급한" 행동으로 내몰렸다. 하지만 늘 그런 식이었다. 몽테뉴는 우리에게 "우리 종교가 법의 권위의 뒷받침을 받기 시작한" 기독교 초기를 돌아보라고 말한다. 그렇게 얻은 권력은 지나친 정화의 불길을 일으켜, "이교도 서적"의 엄청난 파괴가 이루어졌고 "이로 인해 학식 있는 사람들은 엄청난 손실을 겪었다. 나는 야만인이 지른 그 모든 불보다도 이런 과도한 열정이 학문에 더 큰 피해를 주었다고 생각한다". 예를 들어 기독교 열심당원들은 몽테뉴의 눈으로 보기에는 그저 "우리 종교에 적대적인 끔찍한 문장 대여섯 개"에 불과한 것 때문에 타키투스의 『역사』를 모조리 없애려 했다(그리고 거의 성공했다).

따라서 율리아누스는 고대 세계만이 아니라 근대 세계에도 강렬한 모범이 된다. 이 '배교자'는 종교 문제에서 "완전히 악의에 사로잡혔고" 또 "잔인하지는 않아도…… 가혹한 적이었지만" 몽테뉴가 보기에는 "진정으로 위대하고 뛰어난 인간"이었다. 그는 "순결·정의·냉철·철학 등 덕의 모든 분야에서 모범적인 행동의 예"를 남겼다. 그는 또 "학문의 모든 영역에서 매우 탁월했다". 우리는 여기에서 한 작가-철학자가 다른 작가-철학자에게 강한 매력을 느끼고 있음을 짐작할 수 있다. 또 몽테뉴는 율리아누스의 지나치게 열정적인 이교 신앙에 관한 재담을 미소 띤 얼굴로 되풀이한다. "그의 시대 사람들은 그를 비웃었다…… [그래서] 그가 파르티아인에게 승리를 거두었다면 그의 희생제 때문에 세상에 황소가 남아나지 않았을 것이라고 말했다!"

1644년 밀턴은 잉글랜드 의회에서 출판의 공식 허가 제도—따라서 잠재적인 검열—에 반대하는 연설을 했고 그것은 나중에 『아레오파지티카』로 발표되었다. 이 책은 위대하고 열정적인 언론 자유 옹호인데 밀턴에게 언론 자유는 배움의 장려만이 아니라 덕의 장려에서도 핵심이다. 나아가서 언론 자유는 의회가 상징하는 나라, "느리거나 둔하지 않고, 빠르고 독창적이고 예리한 정신을 가진 나라"의 특징이다. 밀턴은 원칙과 실제 양쪽에서 주장을 펼친다. 검열은 그의 주장에 따르면 무엇보다 효과가 없다. 그것은 "공원 문을 닫으면 까마귀를 가둘 수 있다고 생각하는 용감한 사람의 행동"과 비슷하다. 밀턴은 주장한다. "나에게 다른 어떤 자유보다도 양심에 따라 알고 말하고 자유롭게 주장할 자유를 달라."
이것은 시대를 초월한 고결한 주장일 뿐 아니라 당대의 정치적 주장이기도 하다. 잉글랜드 프로테스탄트의 자유의지 론에 로마가톨릭교보다 이질적인 것은 없었기 때문이다. 억압적 교황권, "압제적" 종교재판, 금서 목록, 검열, 갈릴레오를 비롯한 많은 사람에 대한 박해. 물론 교회는 초기에는 박해하기보다는 박해당했고, 이 대목에서 밀턴은 "우리 신앙의 가장 영리한 적"으로 '배교자' 율리아누스를 예로 든다. 그러나 이런 맥락에서는 율리아누스가 역설적 선택이라고 생각할 수도 있겠다. 결국 필사본이나 도서관을 대대적으로 파괴하여 학문적 손실을 끼친 것은 초대 기독교인의 행동으로 피해자는 이교도였지 그 반대가 아니었기 때문이다. 우리가 아는 한 율리아누스는 갈릴리인들의 텍스트를 파괴하라고 명령한 적이 단 한 번도 없었다.

그러나 이것이 바로 그가 그렇게 영리한 이유다. 그는 책을 검열하거나 파괴하지 않았을지는 몰라도 독자는 검열했다. 이 황제의 가장 위험한 전술은 "기독교인의 이교도 학문 연구를 금지"한 것이었다. 이것은 처음에는 작은 손실로 보일 수도 있다. 사실 이교도 서적에 접근하지 못하게 하는 것이 기독교인에게는 환영할 일이라고 생각할지도 모른다. 그러나 헬레니즘 철학과 과학에 접근하는 것을 금하고 갈릴리인들이 자신의 교회에서 자신의 신성한 책만 가르치게 한 조치의 부산물은 그들이 주변화되고 시민의 권리와 의무에서 배제되는 것이었다. 기독교인은 즉시 이 위험을 간파했다. 밀턴이 말한 대로 "당시 그들은 헬레니즘 학문을 박탈당하는 것을 막대한 피해로 여겼고, 그것이 데키우스와 디오클레티아누스의 노골적인 잔혹 행위보다 더 교회를 파괴하고 은밀하게 퇴락시키는 것이라고 생각했다". 다행히도 기독교의 하느님은 '배교자'가 초래할 위험을 파악하고 성 바실리우스와 성 메르쿠리우스를 통해 행동에 나섰다. 밀턴에 따르면 "하느님의 섭리[가 개입하여]…… 마땅히 죽어야 할 자의 생명과 함께 무지한 법을 거두어 갔다."

'배교자'는 잉글랜드 프로테스탄트에게는 생생한 도깨비로 살아남아 1679-1681년의 '왕위 계승 배제 위기'에도 다시 등장했다. 찰스 2세는 1660년 이후 프로테스탄트 왕으로 통치해 왔지만 그의 동생이자 후계자인 요크공 제임스는 나라를 하나의 진실한 신앙으로 되돌리려고 열심인 가톨릭교도였다. 그가 왕이 될 거라는 사실에 많은 사람이 경악했다. 하원은 연거푸 투표로 제임스의 왕위 승계를 거부했지만 그때마다 상원이 결정을 번복하거나 찰스가 그냥 의회를 해산해 버렸다. 팸플릿과 소책자가 터져 나오고 다시 그에 대한 반박이 터져 나왔는데 가장 유명한 것은 새뮤얼 존슨—훗날의 새뮤얼 존슨 박사가 아니라 '배제'파의 지도자 로드 러셀의 가내 사제—이 쓴 것이었다. 그의 소책자에는 『'배교자' 율리아누스: 그의 삶에 관한 짧은 이야기, 그리고 그의 계승에 대한 초대 기독교도의 의견과 그에 대한 그들의 행동』이라는 긴 제목이 달려 있었다. 속내를 드러내는 말은 "계승"이고, '교황교*와 이교 신앙의 비교와 더불어'라는 부제가 이 기획을 추가로 설명해 준다.

존슨에게 '배교자'는 기독교 세계 역사의 큰 악당 가운데 하나로 저 위에서 "박해자 헤롯", "배신자 유다", "그리스도 살인자 빌라도"와 함께 자리를 잡고 있으며, "그 옆에 너희 하느님을 증오하는 자 유대인"이 있다. 다행히도 초대 기독교도는 "그가 죽는 것을 기도로 도와" 그는 지금 지옥에서 "큰 벌을 받고 있다". 그는 큰 '배교자'일 뿐 아니라 큰 '위선자'였다. 기독교도는 그를 율리아누스가 아니라 이돌리아누스**라고 불렀다. 또 그가 희생제를 좋아했기 때문에 '황소를 태우는 자'라고도 불렀다. 점에 대한 그의 열정은 역겨운 동시에 신성모독적이었다. 누가 감히 하느님의 세상에서 벌

---

* 로마가톨릭교를 경멸적으로 가리키는 말.
** 우상을 가리키는 Idol을 넣어 만든 말.

어질 일을 두고 하느님의 행동을 예측한단 말인가? 또 율리아누스 자신은 개인적으로 기독교인의 신체적 박해를 직접 명령하지 않았을지 몰라도 그의 전임자·추종자·동료는 손에 피를 많이 묻혔다. "아슈켈론에서, 또 가자에서 그들은 기독교도의 몸을 갈가리 찢은 다음 안에 보리를 넣어 돼지 떼에게 먹이로 던졌다." 콘스탄티누스 시대에 헬리오폴리스의 집사인 키릴로스라는 사람은 "신성한 열정으로 타올라" 이교도의 우상을 여럿 부수었다. 이에 대한 보복으로 "저주받을 이교도는…… 그를 죽였을 뿐 아니라 배를 열어 그의 간을 맛보았다". 그런 무례한 미식美食은 좀 지나친 것이었고 그에 상응하는 적절한 벌을 받았다. "역사가가 기록한 대로", 그 직후 "그들의 이, 또 혀, 또 눈이 머리에서 떨어져 나갔다".

수석 재판관 펨버턴은 "교황교가 모든 이교 미신보다 **열 배는 나쁘다**"라고 선언했다. 존슨은 말을 이어간다. "따라서 만일 우리가 초대 기독교도가 율리아누스를 혐오했던 것보다 열 배 더 교황교 계승자를 혐오한다 해도 우리가 그들보다 심한 것은 아니라고 확신한다." 그는 음울한 전망을 제시했다. "모든 프로테스탄트의 생명은 가톨릭적 열정에 불타 그들을 죽이고자 하는 모든 치안판사, 순경, 십일조 징수자의 손에 달리게 될 것이다. 모든 장교, 또 보병이 아무런 거리낌 없이 죽일 것이다." 교황교도는 잉글랜드 프로테스탄트를 "좋은 먹잇감이자 쉽게 삼킬 수 있는 음식"으로 여길 것이다.

교황교도는 세 가지 면에서 이교도를 닮았다. 즉 다신교, 우상 숭배, 잔혹성이다. 그들은 "수많은 가짜 신"을 섬기고 온갖 종류의 성인에게 기도한다. 심지어 "짐승과 가축"의 성자에게도. 그들은 유골을 섬기는 사람으로 천사와 "어디에나 존재하는" 마리아에게 기도한다. 우상 숭배는 다신교의 자연스러운 결과다. "기독교 세계는 불과 800여 년 사이에 모든 악 가운데 하느님이 가장 혐오하는 악이자 인간에게 가장 큰 저주를 내릴 수 있는 악인 끔찍한 우상 숭배에 잠겨버렸다." 그들의 남성 성인은 "페르시아 땅의 제후" 같고 여성 성인은 "멋지게 꾸미고 단장한 매춘부" 같다. 교황교도에게는 순례, 촛불 신앙, 봉헌, 눈물을 흘리는 돌, 기적 치료가 있으며, 그들은 "나무로 만든 모든 십자가"나 그리스도의 피라고 여겨지는 말라붙은 소량의 표본 앞에 엎드린다. 그들은 또 "경멸할 만한" 제병을 섬기는데, 이것은 "비록 거기에 십자가가 찍혀 있기는 하지만, 그래, 하잘것없는 빵 조각"일 뿐이다.

잔혹성 이야기를 하자면 교황교도는 이 점에서 심지어 이교도보다 더하다. "그들은 우리한테 필요하든 아니든, 우리가 마음이 내키든 내키지 않든 우리에게 우상 숭배를 강요하지 않으면(프랑스 왕이 소금을 팔듯이) 직성이 풀리지 않는다."
그러면서 지금 잉글랜드가 마주하고 있는 "눈먼 가톨릭적 열
정"에 관해 많은 예를 든다. 존슨은 독자에게 엘리자베스 치
세에 가득했던 "지옥 같은 음모"를 상기시킨다. 지금 제임스
를 왕으로 환영하려는 사람들은 "파리 결혼식,* 화약 음모,**
아일랜드 학살***에 관해 아무것도" 모르는 듯하다면서.

　존슨은 이 소책자 때문에 '율리아누스 존슨'이라는 별명을
얻었으며, 이 책에 자극받아 다른 사람들도 '요비아누스'****
나 '배교자 콘스탄티우스' 같은 소책자를 썼다. 또 존슨은 이
소책자 때문에 곤경에 처하게 되었는데, 그의 후원자인 로
드 러셀이 처형당하면서 문제는 더 심각해졌다. 로드 러셀은
1683년 링컨스 인 필즈에서 잭 케치의 손에 참수당했는데
목이 쉽게 잘리지 않아 곤욕을 치렀다. 존슨 자신은 두 번 재
판을 받았다. 첫 번째는 1683년 선동적 중상 혐의였는데, 이

* 성 바르톨로뮤제祭의 학살. 프랑스에서 1572년 8월 24일에 시작된 가톨릭의 프로테스
탄트 학살을 가리킨다.
** 1605년 가톨릭 음모자들이 잉글랜드 제임스 1세의 암살을 모의하였으나 사전에 발각
되어 실패한 사건.
*** 1641년 아일랜드 반란. 아일랜드 가톨릭교도가 그곳에 정착한 잉글랜드와 스코틀랜
드 프로테스탄트에게 저항하여 봉기를 일으켰다.
**** 율리아누스의 뒤를 이은 로마 황제(363-364 재위)로 율리아누스의 시도를 뒤집고
기독교로 복귀했다.

때는 교수형 집행인이 그의 책을 불태웠다. 두 번째는 1685
년으로, 구체적으로 밝혀지지 않은 "심각한 비행" 혐의였다.
이때는 칼을 쓰고 대중 앞에 네 번 서고, 벌금 200마르크를
내고, "뉴게이트에서 타이번까지" 채찍을 맞으며 가라는 선
고를 받았다. 이제 왕위에 오른 제임스 2세는 선처해 달라
는 요청을 받았을 때 대답했다. "미스터 존슨은 순교의 정신
을 지녔으므로 고난을 겪는 것이 어울린다." 존슨은 "매듭을
지은 줄 아홉 개로 만든 채찍으로" 317번 맞았다. 그래도 그
는 고집을 꺾지 않았다. 의사의 치료를 받는 동안에도 『교황
교와 이교의 비교』를 3천 부 다시 찍었고 재판받은 이야기를
책으로 출간했다.

　율리아누스의 사후 명성의 정점은 18세기에 찾아왔다. 그
의 삶과 사상 가운데 두 면이 특히 주목받았다. 하나는 그의
유명한—또는 악명 높은—'온화함'으로 이것은 '관용'이라
는 계몽주의 관념으로 번역되었다. 또 하나는 그가 철학자-
군주의 전형이라는 것인데 그의 후손은 계몽 군주였다. 예를
들어 디드로와 러시아의 예카테리나 2세의 관계. 그녀는 디
드로에게 도서관을 사주고 그것을 그가 소유하게 했으며 사
서를 맡아달라고 보수를 지급했다. 볼테르는 프로이센의 프

리드리히 대제에게 큰 사랑을 받았다. "나의 소크라테스여." 왕은 작은 소리로 말했고, 그러면 철학자는 "나의 트라야누스 황제*여" 하고 대답했다.

하지만 그 전에 몽테스키외가 있었다. 그는 『법의 정신』(1748)에서 스토아학파를 상찬했다. "실제로 내가 기독교인이라는 것을 잠시 잊을 수 있다면 나는 제논 학파의 파괴가 인류의 큰 불행 가운데 하나로 꼽힐 만하다고 인정할 수밖에 없을 것이다." 나아가서 그는 구체적으로 율리아누스가 가장 훌륭한 통치자라고 찬양한다. "그의 뒤에는 인간을 통치할 자격을 그보다 잘 갖춘 군주가 나타나지 않았다." 하지만 그의 시대에 글을 쓰던 사람에게는 필수적인 단서를 단다. "어쩔 수 없이 이렇게 인정한다고 해서 어떤 식으로든 내가 그의 배교에 연루되어 있다고 생각하지는 말아야 한다."

볼테르는 『철학 사전』(1764년판) 특유의 전투적인 두 항목에서 율리아누스에 대한 근대적 해석을 확립했다. 그는 시작할 때부터 몽테스키외가 신중하게 사용했던 "내가 기독교인이 아니라면"이라는 단서를 사용하는 것을 거부한다. 심지어 이 황제에게 습관적으로 따라붙는 경멸적인 별명 '배교자'도

---

* 로마제국의 5현제 가운데 한 황제.

붙이지 않는다. 율리아누스의 친구든 적이든, 볼테르의 주장에 따르면, 율리아누스가 기독교에 대한 진지한 믿음에서 제국의 신들에 대한 진지한 믿음으로 옮겨 갔다고 증언한 사람은 없다. 그의 '기독교'는 목숨을 구하기 위한 필수적인 위장이었다. 따라서 그는 배교자가 될 수 없다. 이리하여 교부와 그 계승자들의 1400년에 걸친 중상과 꾸며낸 헛소리 뒤에 마침내 분별 있는 분석의 시대가 도래했다. 진짜 율리아누스는 그의 신학적 적들이 그려놓은 괴물과는 거리가 먼 "냉정하고 순결하고 공정하고 용감하고 온화한" 사람이었다. 그리고 사실에 의거하여 그가 기독교를 사랑하지 않았다는 것을 인정할 수밖에 없다 해도, "자기 가족의 피를 손에 묻힌 종파를 그가 미워하는 것은 용서할 수 있는 일이라고 생각할 수도 있다." 또 그는 갈릴리인들에게 "박해하고 투옥하고 내쫓고 죽이겠다는 협박을 받았지만" 앙갚음으로 그들을 박해하지 않았고, 심지어 자신의 목숨을 빼앗으려는 음모를 꾸민 기독교인 병사 여섯 명을 사면하기까지 했다. 그는 트라야누스, 카토, 율리우스 카이사르와 스키피오의 장점을 모두 갖추고 있었지만 그들의 결함은 없었다. 요컨대 그는 "인간 가운데 첫째였던" 마르쿠스 아우렐리우스와 모자람 없이 맞먹는다.

볼테르에게 관용과 종교적 자유는 계몽에 이르는 두 핵심

요소였다. 따라서 초대 기독교 역사의 두 재앙은 일신교 강요와 콘스탄티누스가 저지른 교회와 국가의 융합이었다. 율리아누스의 시대는 기독교의 전진을 저지하려고 용감하게 (또는 미망에 사로잡혀) 나선 짧은 마지막 역사적 일탈이 아니었다. 그는 이제 철학자-군주이자 관용의 모범으로서 계몽주의의 눈부신 선구자로 드러난다. 볼테르는 프리드리히 대제에게 편지를 쓰면서 그를 "새로운 율리아누스"라고 불렀는데, 이는 볼테르가 할 수 있는 최고의 찬사였다.

로잔에서 공부하던 1757-1758년 겨울에 볼테르를 만난 적이 있는 에드워드 기번은 『로마제국 쇠망사』에서 율리아누스에게 세 장章을 할애하게 된다. 기번은 황제의 강한 이교 신앙에 불편을 느끼기는 했지만 그래도 그를 거의 볼테르만큼이나 높이 평가했다. 다만 그의 최종 판단은 약간 더 조심스럽다. 율리아누스는 율리우스 카이사르의 천재성, 아우구스투스의 놀라운 사리 분별, 트라야누스의 덕, 마르쿠스 아우렐리우스의 철학을 갖추지는 못했을지 모른다. 그러나

알렉산데르 세베루스의 죽음 이후 120년이 지난 뒤 로마인은 자신의 의무와 쾌락을 구분하지 않는 황제를 보게 되었다. 그는 신

민의 괴로움을 줄이고 기운을 소생시키려고 애를 썼으며, 늘 권위를 가치와 연결하고 행복을 미덕과 연결하려고 노력했다. 심지어 다른 당파, 또 종교적 당파에 속하는 자들도 전시와 평화로운 시기를 막론하고 그의 정신적 능력의 우월성을 인정하고, 또 한숨을 쉬며 배교자 율리아누스가 조국을 사랑하고 또 세계 제국을 감당할 자격이 있다고 고백할 수밖에 없었다.

기번은 율리아누스가 죽음이 닥쳐오는 상황에서도 흔들리지 않은 점에 감탄했다. 페리사보르 포위 뒤 그는 부대에게 말했다. "나는 서서 죽을 각오가 되어 있고 언제든 우연한 열병에 꺼져버릴 수도 있는 위태로운 삶을 경멸할 각오가 되어 있다." 그러나 이런 고결함 때문에 제국을 운영하는 실제적인 일을 무시했다. 율리아누스는 임종 때 후계자 지명을 거부했고, 그 바람에—기번의 판단으로는—기독교가 승리하는 것을 허락하여 "제국의 불행"을 초래했다. 곧 이교 신앙은 "회복할 수 없이 먼지 속으로 가라앉았고" 또 "철학자들은…… 이제 턱수염을 깎는 게 분별력 있는 행동이라고 판단했다".

그의 삶이라는 모범 외에 남은 것은 기독교에 대한 마지막 저항이라는 유명한 사건이었다. 기번이 보기에 그것은 늘 실패할 운명이었기 때문에 더욱 유명해졌다.

율리아누스의 정신적 능력과 권력으로는 신학적 원리, 도덕적 교
훈, 교회적 규율이 결여된 종교를 복원하는 일을 감당할 수 없었
다. 이 종교는 급속히 쇠퇴와 해체의 길을 걸으며, 어떤 견고하고
일관된 개혁을 받아들이지 못했다.

율리아누스는 권좌에 오르면서 터무니없이 많은 이발사를
해고했던 것처럼 돈에 움직이는 부패한 내관들도 해고했다.
그 자신은 검약하고 소박한 삶의 모범을 보였을지 모르지만
그와 가장 가까운 사람들조차 그 모범을 따르지 못했다. 그
는 콘스탄티노플 궁전을 소유하게 되자마자 오랜 친구 막시
무스를 불렀다. "아시아의 여러 도시를 통과하는 막시무스의
여행은," 기번의 말에 따르면, "철학적 허영의 승리를 보여주
었다." 막시무스는 궁전에 도착하자 "분별력 없이 궁정의 유
혹에 넘어가 부패했다". 율리아누스의 짧은 치세가 끝난 뒤
막시무스는 어떻게 "플라톤의 제자가 황제의 은총을 입은 짧
은 기간에 그렇게 엄청난 부를 축적했는지" 공식 조사를 받
았다. 전에는 내관과 이발사가 문제였다면 이제는 "철학자와
소피스트"가 문제였다. 그 가운데 "순수함이나 평판을 보존

할 수 있는" 사람은 거의 없었다.

그러나 기번은 다신교에 추가의 구조적 약점이 있음을 알아냈다. 다신교는 "느슨하고 유연한 많은 부분"으로 이루어져 있어서 "신들의 종은 자유롭게 자신의 종교적 신앙의 크기와 수준을 규정했다". 다른 상황이었다면 이것은 약점이 아니라 관용적 힘이 되었을지도 모른다. 율리아누스가 종교에 접근하는 방식은 분명히 최대주의였다. 그가 유대교도를 승인한 것은 "오직 신들의 수를 늘리기를 바라는 다신주의자"적 태도 때문이었다.

율리아누스 자신의 종교적 수행은 강렬했고 꾸준했고 가장 높은 수준에서 이루어졌다. 웅변가 리바니우스의 말에 따르면 황제는 이런 믿음을 갖고 있었다.

그는 신들과 지속적으로 교제하며 살고 있다. 그들은 자기들이 좋아하는 영웅과 대화를 나누는 것을 즐기러 땅에 내려온다. 그들은 그의 손이나 머리카락을 살짝 만져서 그를 잠에서 깨운다. 그는 그들이 자신에게 모든 임박한 위험을 알려주고 오류가 없는 지혜로 삶의 모든 행동을 이끌어준다는 것을 내밀한 대화로 알게 되었다. 그는 내밀한 대화로 하늘의 손님들에 관해 알게 되어 유피테르의 목소리와 미네르바의 목소리를 쉽게 구별하고, 아폴로의 형상과 헤르쿨레스의 모습을 쉽게 구별할 수 있게 되었다.

기번은 그런 환상은 "금욕과 광신의 일반적 결과"일 뿐으로 이 때문에 "황제는 거의 이집트 수도사 수준으로 타락했다"라고 논평한다. "거의"라고 한 것은 이집트 수도사가 되는 것은 비교적 돈이 들지 않는 일인 반면 최고신들과 머리를 쓰다듬어주는 관계가 되는 것은 돈이 아주 많이 드는 일이었기 때문이다. 율리아누스는 매일 아침과 밤에 희생을 드렸으며, 어떤 것도 우연이나 남에게 맡기지 않았다.

장작을 가져오고, 불에 부채질하고, 칼을 잡고, 희생을 죽이고, 죽어가는 짐승의 내장 안으로 손을 밀어 넣어 심장이나 간을 꺼내고, 최고 수준의 창자점술을 사용하여 미래 사건들의 조짐—이라고 상상하는 것—을 읽어내는 것은 황제의 일이었다.

최고의 신들은 당연히 최고의 희생을 받을 자격이 있었고 또 받았다. 그래서 먼 땅에서 "가장 진귀하고 가장 아름다운 새들"을 계속 날라 왔다. 하루에 황소 100마리를 바치는 일도 많았다. 그러나 그의 군대는 황제의 부지런함을 칭찬했다. 남는 것을 먹었기 때문이다.

율리아누스의 이름은 18세기와 19세기 전반에 걸쳐 공동 화폐처럼 유통되었다. 실러는 이 주제로 극을 쓰려고 10년을 준비했고 괴테에게 언급도 했지만 이 기획의 자취는 남아 있지 않다. 두 사람은 일련의 잡지를 발행하여(1789년부터) 독일에서 예술과 문학의 쇠퇴를 막아보겠다는 목표로 동인을 결성하기도 했다. 그러나 그들은 잡지의 내용 가운데 많은 부분을 스스로 채워야 했으며 결과도 큰 성공은 아니었다. 어느 시점에서 괴테는 우울한 목소리로 자신들의 과제를 기독교를 몰아내려는 율리아누스의 부질없는 시도에 빗대기도 했다.

바이런은 『돈 주안』(1819-1824)을 시작하면서 이 서사시를 동료 시인 로버트 사우디에게 비꼬는 투로 헌정하는데, 사우디는 워즈워스와 마찬가지로 열렬한 혁명가로 출발했다가 세월과 시대에 풍화되어 기성 체제의 보수적 구성원이 되었다. '보브'* 사우디는 1813년 계관시인 자리를 받아들였고, 이로 인해 바이런의 눈에는 그가 '서사시적 배반자'가 되었다. 이 시의 헌사는 이렇게 끝난다.

* 로버트의 애칭.

배교도 아주 유행이라.

하나의 신조를 지키는 것도 헤르쿨레스나 감당할 과제가 되었네.

그렇지 않나, 나의 토리당원, 초超율리아누스파?

신학자와 역사학자는 시대(그리고 계속 변하는 영원한 진리)의 목적에 맞게 율리아누스의 삶과 생각을 개작하고 다시 썼다. 그 가운데 헨리크 입센이 다시 쓴 것만큼 상상력이 풍부한, 또는 개인적인 것도 드물다. 『브란드』와 『페르 귄트』를 포함하는 초기 대하 희곡 4부작에 속하는 『황제와 갈릴리인』(1873)은 방대한 규모다. "왜 10막 드라마는 쓰지 못할까?" 입센은 수사의문문으로 물었다. "나는 5막으로는 충분하지 않다." 이 작품은 또 그의 관점에서는 매우 자전적이었다. "나는 이 책에 나 자신의 영적 생활을 많이 집어넣었습니다." 그는 영국인 친구이자 후원자인 에드먼드 고스에게 쓴 편지에서 말했다. "내가 여기서 그린 것들을 나는 다른 형태로 직접 겪었습니다. 또 내가 선택한 역사적 주제는 사람들이 그것을 읽기 전에 짐작하는 것과는 달리 우리 자신의 시대와 밀접하게 연결되어 있습니다." 그는 이것을 "세계사적 드라마"라고, 또 "나의 걸작"이라고 불렀다.

아닌 게 아니라 엄청난 분량이다. 1907년에 출간된 영어판

'전집'에서 480페이지를 차지한다. 또 사람들이 그것을 "읽는다"고 말했을 때 입센은 정말로 그 뜻으로 말한 것이다. 그는 그것을 희곡만이 아니라 "책"이라고도 부른다. 이 작품은 1873년에 출간되어 4천 부를 찍었는데 금세 다 팔렸다. 2쇄 선금을 받자 입센은 그것을 모두 스웨덴 철도 주식에 투자했다. 이 방대한 극적 텍스트는 정상적인 의미의 희곡은 결코 아니다. 원작에 개입하는 연출자라면 작품 속으로 파고들어 지나치게 설명적인 부분들을 쳐냄으로써 그 안의 드라마를 살려내려 할 것이다.

『황제와 갈릴리인』은 심각하게 몰역사적이다. 이 작품은 알려진 사실들을 19세기의 관심사라는 두꺼운 피복으로 덮어버리고 있다. 이 관심사에는 다음과 같은 것들이 포함된다. 인간의 자기실현 욕구, 의지의 근본적 중요성, 기독교와 "삶의 기쁨"의 양립 불가능성. 이 작품에는 또 순수한 여자(결국은 그렇게 순수하지 않다는 것이 드러날 수도 있다)와 사생아(그런 존재가 있었다면 진짜 황제의 부인 헬레나가 깜짝 놀랐을 것이다) 같은 익숙한 입센식 유형이 등장한다. 율리아누스 자신은—입센처럼, 키르케고르처럼, 하지만 역사 속의 이 배교자와는 달리—매우 종교적인 성장 과정에서 탈출하려고 안간힘을 쓰는 것으로 나타난다. 그는 또 입센이 잇따라 제시하는 이상주의적이지만 오도된 개혁가들에 속하여, 순수한 여자의 도움으로 세계의 경로를 바꿀 수 있다고 확신한다.

희곡 초반에 율리아누스는 신비주의자 친구 막시무스의 자문을 구하는데, 막시무스는 인간의 역사를 가장 크게 바꾼 세 사람의 영을 불러낸다. 카인과 가룟 유다가 등장하지만 세 번째 인물의 정체는 여전히 장막에 가려져 있다. 그것은, 막시무스가 깨달은 바로는, 율리아누스 아니면 막시무스 자신, 둘 중의 하나일 것이다. 막시무스는 또 기독교의 지혜와 이교 신앙의 지혜를 결합하는 것이 황제의 세계사적 임무가 될 것이라고 밝힌다. 이것은 당시 널리 퍼져 있던 견해이기도 했다.

입센의 율리아누스는 책략으로 적을 이기는 영리하고 온화하고 비폭력적인 통치자이기는커녕 로마 압제자의 전형으로 제시된다. 페르시아 사막에서 그를 죽이는 것도 기적적으로 결합한 두 기독교 성자는 물론이고 수수께끼의 창병槍兵도 아니다. 율리아누스는 아가톤이라는 꾸며낸 인물에게 살해당하는데, 그는 황제의 가까운 친구였지만 황제가 적그리스도라는 것을 깨닫게 된다. 죽어가는 율리아누스는 자신의 압제가 역효과를 냈음을 인정한다. 그것이 기독교인을 자극하는 바람에 그들이 그에게 맞선다는 뚜렷한 목적을 가지고 뭉쳤으며 그 결과 그들의 종교가 미래를 지배하는 결과를 낳았기 때문이다. 카인과 가룟 유다에게 그랬듯이 여기에서도 의도하지 않은 결과라는 법칙이 작동한 셈이다.

『황제와 갈릴리인』은 책으로는 큰 성공을 거두었지만 희곡으로는 거의 성공을 거두지 못했다. 이 희곡은 노르웨이 무대에 오르는 데 30년이 걸렸다. 1903년, 이 극작가의 죽음 3년 전이었다(그것도 전반부만 공연되었다). 영국은 늘 충성스러운 입센의 영토였지만 그가 "나의 걸작"이라고 부른 이 희곡은 2011년에야 런던에서 초연되었다. (작품에 공감한) 《가디언》 평론가는 이 작품이 "걸작에서 몇 퍼센트 부족하다"라고 평가한 반면 (공감하지 않는) 《텔레그래프》 평론가는 "견딜 수 없이 지루한 작품"이라고 말했다.

약간 현학적일 수도 있는 각주. 제임스 조이스가 매체에 처음 발표한 글은 입센의 『우리 죽은 자들이 깨어날 때』에 대한 8천 단어짜리 평론이었다. 《포트나이틀리 리뷰》는 원고료로 12기니를 주었고 이때 조이스는 열여덟 살이었다. 그는 입센이 현대의 가장 위대한 사상가이자 심리학자라고 선언했다. 구체적으로 루소, 에머슨, 칼라일, 하디, 투르게네프, 조지 메러디스보다 위대하다는 것. 놀랄 일은 아니지만 극작가는 이 평가에 만족하여 젊은 더블린인에게 친근한 감사 인사를 보냈다. 거의 40년 뒤 조이스는 『피네건의 경야』에서 다시 그에게 경의를 표했는데, 입센의 이름과 그의 희곡 제목을 가지고 예순 번 이상 말장난을 한다. 예를 들어 "피어들과 긴트들, 키서들과 갤리리어들, 세이에서 온 프레스크 레티들과 식상한 고집센 수다쟁이들을 위하여." "키서들과 갤리리어들"은 『황제와 갈릴리인』의 노르웨이어 제목인 『Kejser og Galilæer』를 이용한 말장난이다. 30여 년 전에 죽지만 않았다면 입센은 조이스의 이런 진을 빼는 장난기를 즐겼을지도 모른다.*

이렇게 해서 우리는 스윈번과 그의 시 「프로세르피나 찬가」, 내가 그 오랜 세월 전 EF의 입으로 처음 들었던 시로 돌아오게 된다. 1878년 스윈번은 율리아누스에 관한 두 번째 시 「마지막 신탁」을 쓰는데 이것은 율리아누스 치세 초기의 자주 되풀이되는 에피소드를 다룬다. 362년 율리아누스는 친구 오리바시우스를 델포이로 파견하여 페르시아 원정을 추진한다면 성공 가능성이 얼마나 될지 피티아**에게 직

---

* 앞의 인용에서 "피어들과 긴트들"은 『페르 귄트』, "세이에서 온 프레스크 레티들"은 『바다에서 온 여인(영어로 The Lady from the Sea)』, "식상한 고집 센 수다쟁이들stale headygabblers"은 『헤다 가블러』를 이용한 말장난으로 보인다.

** 델포이에서 아폴로의 신탁을 받는 여사제.

접 알아보게 했다. 오리바시우스는 점술사들이 고민해 볼 금 언적 메시지가 아니라 최악의 소식을 들고 돌아왔다. 신탁이 영원히 문을 닫은 것이나 마찬가지라는 소식이었다. 피티아 는 오리바시우스에게 이런 말을 했다고 전해진다.

왕에게 말하라, 찬란한 거처가 땅에 무너졌고
　　　　말을 하던 샘은 말라 죽었다.
신에게는 방 한 칸도, 지붕도, 덮을 것도 남지 않았고
　　　　그의 손에는 이제 예언자의 월계수꽃이 없다.

오리바시우스는 이 말을 율리아누스에게 충실하게 전한다.

그러자 그대의 진정한 마지막 사랑, 그 위대한 왕은 그대의 답이
　　자신의 드높고 슬픈 심장을 속까지 꿰뚫고 쪼갠다고 느꼈다.
　　　그는 거친 세계의 물결이 흐르는 곳에
　　　　　희망을 잃고 꺾인 머리를 담갔다.

「프로세르피나 찬가」와 마찬가지로 「마지막 신탁」은 오래 된 이교 신들의 여명과 "불을 빛으로 또 지옥을 천국으로 또 시를 승리의 노래로" 바꾼 새로운 종교—"이상한 신의 나

우연은 비켜 가지 않는다　　　　　　　　　　　　　　　193

라"―의 원치 않는 도래에 대한 탄식이다. 그러나 시인은 기독교가 이교 신앙에 승리를 거두었음을 인정하면서도 두 종교의 우두머리를 제치고 아폴로에게 호소하는데, 아폴로에게서 모든 노래와 모든 태양이 나오고 아폴로이 모든 것을 관장하기 때문이다. "신에 의해 신이 쫓겨나고, 관을 잃고, 왕좌에서 내려오지만 / 그들에게 모양과 언어를 준 영혼은 굳게 서 있다." 이 시의 계속되는 후렴과 기도는 이런 것이다. "오 우리 모두의 아버지여, 파이안*이여, 아폴로이여 / 파괴자이자 치유자여, 들어주소서!"

따라서 스윈번의 두 시는 '배교자'의 치세의 맨 앞과 맨 뒤를 기록하는 셈이다. 델포이 신탁은 그의 치세 출발점에 침묵하며, 치세 마지막에 황제는 죽어가며 울부짖는다. 사실 두 '사건' 모두 일어난 적은 없다. 율리아누스의 유명한 마지막 말이 훗날 꾸며낸 것이듯이 오리바시우스도 델포이로 순례를 떠난 적이 없다. 그는 율리아누스가 죽고 나서 오랜 세월이 흐른 뒤 노년에 자신이 순례를 다녀왔다고 "기억" 했던 듯하다. 나아가서 362년에 피티아는, 최근 전기 작가의 말에 따르면, "비록 관절염을 앓기는 했지만 계속 활동하고"

---

* 아폴로의 다른 이름으로 치유의 측면을 가리킨다.

있었으며, 그 뒤로도 20년 정도 위태위태하기는 했지만 그 일을 계속했다.

율리아누스 시대에 서로마제국은 밀라노에서 다스리고, 동로마제국은 콘스탄티노플에서 다스렸다. 그러나 그가 사랑하던 도시는 메트로폴리스가 아니었다. 그의 사랑 루테티아(지금의 파리)는 센강의 섬이었으며, 좌안rive gauche에 몇 개의 개발지구—주택, 궁전, 원형극장, 목욕탕, 수로, 그리고 로마군이 훈련하는 마르스 광장—가 있을 뿐이었다. 포도나무와 무화과나무를 조심스럽게 재배해 보는 곳도 있었다. 율리아누스가 가장 사랑한 것은 그곳 주민의 수수하고 소박한 생활 방식이었다. 그곳에는 허위가 없었다. 루테티아에서는 연극이 알려지지 않았거나 경멸의 대상이었다. 미래의 황제는 "분개하며 시리아인의 나약함과 갈리아인의 용감하고 정직한 단순성을 비교했다". 실제로 이들의 민족성의 유일한 오점은 "난폭"이었다.

기번은 율리아누스를 18세기 파리에 데려다 놓는 유쾌한 공상을 해본다.

만일 율리아누스가 프랑스의 수도를 다시 찾는다면 그리스인의

제자를 이해하고 가르침을 줄 수 있는, 과학적 지식과 창조적 재
능을 갖춘 인물들과 대화를 나눌 수도 있을 것이다. 사치에 탐닉
하는 바람에 전투 정신이 약해진 적이 없는 민족의 활기차고 우
아한 바보짓들을 용서해 줄지도 모른다. 사회생활에서 교제를 부
드럽게 해주고 세련되게 다듬어주고 장식해 주는 매우 귀한 기술
의 완벽성을 찬양할 것이 틀림없다.

율리아누스는 당대 프랑스 철학자-역사학자들의 환대를
받으며 즐거워했을지도 모른다. 그러나 100년 후에는 그들
의 계승자들이 율리아누스에게 등을 돌린다. 소설가 아나톨
프랑스는 오귀스트 콩트와 에르네스트 르낭이 황제를 대하
는 태도에 당황하고 실망했다. "콩트는 율리아누스에게 대
단히 가혹하다." 프랑스는 말했다. 르낭은 기독교의 기원에
관한 방대한 연구에서 비록 지나가는 말이기는 하지만 항상
이 황제에 대해 비난조로 언급한다. 르낭에게 기독교는 일신
교 최고의 표현이었으며 과거 종교를 소생시키려는 율리아
누스의 시도는 "하찮은 변덕"이었다. 이교 신앙은 최종 쇠퇴
단계에 들어가 있었고 배교자는 역사에서 잘못된 편에 섰을
뿐이다. 그는 안티오코스, 헤롯, 디오클레티아누스와 함께 피
고석에 섰는데 이들은 모두 "영원한 저주라는 인민의 심판을

받은 세상의 큰 군주들"이었다. 어느 날 저녁 프랑스는 어떤 모임에 갔다가 르낭이 사실은 누구든 들으라는 듯이 "은밀하게 중얼거리는" 소리를 들었다. "율리아누스! 그자는 반동이지."

프랑스는 율리아누스를 훨씬 높게 평가한다. "율리아누스는 세상에 관용적인 광신자라는 유일무이한 장관을 보여주었다." 그러나 프랑스는 또 이 황제가 "황후, 즉 그를 사랑한 지혜롭고 아름다운 에우세비아"에게 "생명, 그리고 그 이상"을 빚지고 있는 젊은이라는 낭만주의적, 아니 소설적 해석을 받아들인다. 율리아누스가 갈리아를 떠날 때 황후는 그에게 "시인과 철학자의 책을 엄청나게 선물하여" 율리아누스 자신의 말대로 "갈리아와 게르마니아는 나에게 헬레니즘 문학의 박물관이 되었다". 프랑스는 황후가 준 책을 읽고 그녀를 기억하면서 훈족과 싸우는, 원정에 나선 철학자-군주라는 비전에 마음이 끌린다.

그러나 역설이 있다. 적어도 세련된 프랑스인에게는.

그러나 사랑에 행운을 빚진 모든 남자 가운데 율리아누스는 아마 여자를 기쁘게 하는 일에 수고를 가장 덜 한 사람일 것이다. 그런 금욕적인 청년에게 애착을 가진 것을 보면 에우세비아는 여성 가운데 취향이 약간 특이한 쪽이었던 게 분명하다. 율리아누스는 키가 작고 몸통이 옆으로 벌어졌으며 애초에 잘생기지도 않았던 데다가 의도적인 태만 때문에 타고난 것보다 더 못생긴 쪽으로 보였다. 그는 염소처럼 턱수염을 길렀는데 한 번도 빗질하지 않았다. 턱수염은 더러울 때 더 철학적이라고 믿는 것이 그의 약점이었다.

아나톨 프랑스는 어떤 안티오크 사람 못지않게 오만하다. 황제는 파리의 살롱에 오더라도 턱수염을 다듬지 않았을 것이 분명하며, 그래서 비트족처럼 눈에 띄었을 것이다. "키가 작다"고 한 부분에 관해 말하자면 그는 155센티미터로 암미아누스의 말로는 그게 당시의 "중키"였다. 프랑스는 또 율리아누스의 청교도주의와 신비주의의 결합 앞에서도 약간 주춤한다. "그는 심오한 신학자이자 금욕적 도덕주의자로서 자신의 양심이 촉구하는 대로, 그리고 금식과 불면으로 고양된 운명의 충동이 요구하는 대로 행동했다…… 절대 잠을 자지 않는 황제를 생각하면 진저리가 쳐진다."

그래도 프랑스가 답을 할 수 없기는 하지만 우리를 압도하는 질문을 던지는 것은 사실이다.

그럼에도 교리에서 유연하고 철학에서 독창적이고 전통에서 시적인 헬레니즘은 아마 멋지고 다양한 색조로 인간 영혼을 칠했을 것인데, 만일 근대 세계가 십자가의 그림자 속에서 산 게 아니라 다정한 여신의 망토 안에서 살았다면 과연 어떤 모습이었을까 하는 것은 커다란 문제다. 안타깝게도 이 문제에는 답을 찾을 수가 없다.

20세기에 이르면 율리아누스의 매력은 약간 흐릿해진다. 율리아누스는 학계에서는 아직 잘 살아 있지만 다른 곳에서는 개별 작가들이 개인적으로 반응하는 역사적 인물로 줄어들었다. 어쨌든 내 눈에는 그렇게 보였다. 또 연구를 해보고자 하는 나의 정열 또한 줄어들고 있음을 인정할 수밖에 없다. 예를 들어 니코스 카잔차키스*는 희곡을 썼는데 이것은 영어로 번역되지 않았고 1948년에 파리에서 한 번 공연되었다. 내가 정말로 그것까지 추적해 보고 싶은 것일까? 톰 건의 불가해한 찬양시가 있고 카바피스가 쓴 그보다 명료한 찬양시 여남은 편이 있다.** 하지만 나는 클레온 랑가비스와 드미트리 메레시콥스키에는 겁을 먹었으며 미셸 뷔토르와 고

* Nikos Kazantzakis(1883 – 1957). 그리스 작가.
** Thom Gunn(1929 – 2004) 영국 시인, Koustantinos P. Kavafis(1863 – 1933) 그리스 시인.

어 비달*의 소설까지 파고들지는 못했다. 그러다 보니 마치 아직 읽지 않은 것들의 서지를 정리하고 있는 느낌이 들었다.

그러나 20세기에는 예상치도 못했고 환영받지도 못했던 찬양자가 한 명 등장하기는 한다. 율리아누스가 일각에서 주장하듯이 "광신자"였다면 그도 둘째가라면 서러운 광신자로 관심을 모았다. 바로 히틀러였다.

다음은 1941년 10월 21일 한낮에 녹음된 그의 『탁상 담화』의 한 대목이다.

100년, 200년 전 우리의 최고의 정신들이 기독교에 관해 갖고 있던 의견들을 생각해 보면 그때로부터 우리가 나아진 게 거의 없다는 사실을 부끄러워하게 된다. 나는 배교자 율리아누스가 그런 명민한 통찰로 기독교와 기독교인에 대해 판결을 내렸다는 것은 몰랐다. 그가 이 주제에 관해 한 말을 읽어봐야 한다.

'지도자Führer'에게 율리아누스에 관한 정보를 귀띔해 준 게 누구였는지 궁금하다. 어쨌든 히틀러는 나흘 뒤 저녁에 이

---

* Kleon Rangavis(1842-1917) 그리스 외교관, Dmitri Merezhkovsky(1865-1941) 러시아 소설가 · 시인, Michel Butor(1926-2016) 프랑스 작가, Gore Vidal(1925-2012) 미국 작가.

주제로 돌아오는데 이때 참석한 특별손님들은 친위대 국가지도자 힘러와 친위대 장군(상급집단지도자) 하이드리히였다.

율리아누스 황제의 생각이 담긴 책은 수백만 부 배포되어야 한다. 얼마나 멋진 지성이며, 얼마나 대단한 분별력인가. 고대의 모든 지혜가 여기 있다. 특별하다.

또 그 전인 1941년 7월 11-12일 밤에는.

인류에 대한 가장 큰 타격은 기독교의 도래였다. 볼셰비즘은 기독교의 사생아……. 고대 세계에서 인간과 신의 관계는 본능적 존중에 기초를 두고 있었다. 이것은 관용이라는 관념으로 계몽된 세계였다. 기독교는 세상에서 사랑이라는 이름으로 적을 멸절한 최초의 신조였다. 그 기조는 불관용이다.

히틀러가 관용을 옹호하다니, 엄청난 아이러니다. 또 히틀러는 어쨌든 사랑의 이름으로 적을 멸절하지는 않았다. 그는 위선 없이 증오와 인종적 우월성의 이름으로 멸절했다. 따라서 그는 이 황제를 존경했을지는 몰라도 이해하지 못한 게 분명했다. 율리아누스가 쓴 대로 "사람들은 폭력과 모욕과 고문이 아니라 이성으로 설득하고 가르쳐야 한다". 갈릴리인들에 관해서는 "그렇게 중요한 문제에서 잘못을 범하는 불운한 사람들에게 증오보다는 연민을 느껴야 한다".

))🌑((

셋

ELIZABETH FINCH

율리아누스 에세이를 마치자 차분해지면서 동시에 용기가 생겼다. 물론 아무에게도 보여주지는 않았다. EF 외에는 보여줄 사람이 없었기 때문이다. 나는 그 일에 흥미를 느꼈고 그걸로 충분했다. 이 일은 또 내가 '미완성 프로젝트의 왕'이 아님을, 사실은 '지진아'임을 증명했다. 이제 계속해서 밀고 나아갈 때였다. 율리아누스로 그녀를 즐겁게 해주었다면(하지만 그것을 어떻게 알 수 있단 말인가?) 이제 계속해서 그녀를 기념할 때였다.

크리스는 작업 초기에 내가 자기 누이의 전기를 쓰고 있냐고 물었다. 나는 대답을 머뭇거렸다. 그게 너무…… 엉성한 아이디어로 여겨져서. 율리아누스 황제는 나를 시인 카바피스에게로 인도했는데, 그는 다음 같은 시를 썼다.

사람들이 내가 한 일과 한 말로

내가 누구였는지 알아내려 하지 못하게 하라.

이런 만류에도 불구하고 카바피스의 전기 작가가 등장했다. 시인에게는 물론 비밀이 있었고, 물론 드러나는 걸 원치 않는 성적 비밀이었다(누가 없겠는가?). 시는 이렇게 끝난다.

나중에―더 완벽한 사회에서―

나와 비슷하게 만들어진 다른 누군가가

틀림없이 나타나 자유롭게 행동하리라.

이 시조차 오랫동안 출간되지 않았다. 하지만 지침은 분명했다. 나를 내버려둬라, 이 유골을 방해하지 마라. 그러면 엘리자베스 핀치는? "그녀가 누구였는지 알아내려 하는" 어떤 사람이 있을 거라고 상정하는 허영심이 그녀에게는 없었을 거라고 생각한다.

엘리자베스 레이철 제인 핀치, 그녀의 출생증명서에는 그렇게 적혀 있었다. 날짜, 부모, 접수자 이름, 서명. 결혼증명서는 없었다. 그렇다고 가명으로 멕시코식 결혼을 했을 가능성을 배제할 수는 없지만(실제로 그랬을 가능성은 제로). 사망 확인서, 있다. 유서, 있다. 몇 가지 작은 유산, 자선단체 기부금, 나에게 책과 문서를, 그리고 나머지는 크리스토퍼에게 주라는 지시. 구글로 그녀를 검색해 보면 '망신 주기' 사건을 왜곡되게 보도한 기사를 실은 신문사 웹사이트 링크가 나온다. 내가 이런 과제에 기질적으로 얼마나 적합한지 잘 모르겠다.

나는 크리스토퍼에게 그들의 부모에 관해 물었다. 그들의 아버지는 모피 무역에 종사했다. 그는 헌신적이고 불안에 심하게 시달리는 사람이라 자신이 가족을 위해 얻은 안락한 교외 생활이 어쩌면 지속될 수 있을지 모른다고 믿는 때가 몹시 드물었다. 그리고 그런 걱정은 옳았다. 그는 쉰다섯에 울혈성 심장병으로 죽었다. 그들의 어머니는 이런 병이 아예 없는 일인 양, 있다 해도 통풍처럼 지나가는 불편인 양 살았다. 아버지가 죽어갈 때는 엘리자베스가 돌보았다. 몇 시간이고 아무 말 없이 옆에 앉아 그냥 아버지가 눈을 뜨고 미소를 짓기를, 그래서 마주 미소 지어줄 수 있기를 기다렸을 뿐이다. 필요한 것은 그게 다였다. 둘 다 잘 알고 있었다시피.

"그다음에는요?"

"그다음에는, 엄마가 계속 그 집에 살았지요. 매주 머리를 다듬었고, 청소부와 정원사를 감독했고― '감독'이라는 말은 약간 과장이지만—찻집에 갔고, 브리지 게임을 했고, 지역 암 치료 기금 모금에 참여했어요. 나도 기금 모금이 엄마의 강점이라고 생각하지는 않지만. 어쨌든 아빠가 암에 걸렸던 것도 아니고."

"엘리자베스는요?"

"여섯 주 정도마다 보러 갔어요. 순수한 의무감에서. 공감은 전혀 없었다고 생각해요. 또는 관심도. 양쪽 모두. 어머니는…… 자기한테만 몰두할 수 있는 사람이었어요. 그리고 엘리자베스는……깐깐할 수 있었어요—그게 맞는 말인가?"

나는 웃음을 터뜨렸다. 무슨 말인지 너무나 잘 알고 있었으니까.

"누이는 자기 어머니한테 깐깐하게 굴 수 있었어요. 그렇다고 창피해한 건 아니고. 그랬다고 말한다면 사실이 아니겠죠. 하지만 자기 어머니가 자기 어머니라는 게 좀 믿어지지 않는다는 것 같았어요. 내 말이 무슨 뜻인지 알겠죠?"

"선생님은 공유하지 않는 느낌이었나요?"

"음, 나는 단순한 인간이에요. 세상을 다가오는 대로 받아들이고 가능한 한 판단을 하지 않으려 해요. 그리고 사실 사내아이의 어머니는 늘 어머니인 거죠, 안 그런가요?"

나는 대답하지 않았다. 내 경우에는—아니, 내 경우는 상관

없다. 나는 크리스토퍼 핀치를 좋아했다, 스스로 단언하는 것처럼 정말로 단순한 인간일 수 있을지는 의문이었지만. 그들이 공유하는 유전자에서 이용 가능한 모든 복잡성과 미묘함을 그의 누이가 다 가져가지는 못했을 것이다.

"그래서…… 어떻게 끝났나요?"

"엄마가…… 사람들이 어떤 자선단체에 기부하는지 살펴보면 재미있어요, 안 그래요? 예를 들어, 나는 닥터 바나도*에 기부해요. 내가 안정된 가정에서 성장했다는 게 믿을 수 없을 만큼 고맙기 때문이죠. 그리고 구조 보트 승무원들에게 기부해요. 그러면 어쩐 일인지 내가 난파당하는 걸 막아줄 것 같거든. 그렇다고 내가 배를 자주 타는 건 아니지만. 가끔 페리나 탈까…… 그렇다고 내가 정말로 자선에 미신적으로 접근하는 건 아니에요. 그런데, 어쨌든, 엄마는 암에 걸렸어요. 이런 아이러니가 있을까. 누가 짐작이나 했겠어요? 리즈는 전과 똑같이 자주, 아니면 똑같이 드물게 엄마를 보러 갔죠. 일은 내가 떠맡았어요. 의사, 요양원, 대리권, 전부 다. 장례. 변호사."

"어머님 유언이 뭐였는지 물어봐도 될까요? 그리고 말이

---

* 취약 아동을 돌보는 자선단체.

나온 김에 아버님 유언도?"

"아빠는 모든 걸 엄마한테 물려줬어요. 엄마는 3분의 2는 내게, 6분의 1은 리즈에게, 6분의 1은 여러 자선단체에."

"엘리자베스는 어떤 반응을 보이던가요?"

"두 단어였죠. '완벽하게 공정해.' 아빠라면 그런 분배를 못마땅해했을 거라는 걸 누이도 알았지만. 나는 누이한테 내 몫을 나눠서 5 대 5로 하자고 제안했어요. 아빠라면 틀림없이 그렇게 하기를 바랐을 테니까. 하지만 누이가 거절하더군요. '엄마의 바람에 따라야 해.' 리즈는 그랬어요. 그걸로 끝이었죠. 솔직히 말해 나는 좀 안도했어요. 마누라에 자식이 둘인지라."

"너그러운 태도였네요."

"음, 그렇기도 하고, 아니기도 해요. 나는 누이가 딱히 **나**를 위해 그랬다고 생각하지 않았고, 그건 지금도 마찬가지예요. 누이는 그게 옳은 일이라고 생각했기 때문에 그렇게 한 거예요. 어쨌든, 리즈는 어머니의 유언에 이의를 제기한다는 생각이⋯⋯."

"천박하다?" 나는 도덕적으로 지저분하다는 핀치 특유의 좁은 의미에서 그 말을 사용하고 있었다. 크리스가 그걸 알았을 거란 뜻은 아니지만.

"뭐 그런 거죠. 그런데 어쨌든 우리는 늘 잘 지냈어요, 리즈하고 나는. 비록 전적으로 누이가 좌지우지하는 관계였지만. 누이가 말을 할 수 있었던 순간부터, 사실상."

"그게 억울했나요?"

그는 생각해 보았다. "틀림없이 그랬던 것 같네요, 어딘가에서는, 어쩌면 저 아래 깊은 곳에서는. 나는 일반적인 아이, 사춘기 소년이었고, 따라서 틀림없이 그랬을 거예요. 하지만 보다시피 리즈는 리즈였고, 나는 아주 어렸을 때부터 누이한테 경외감을 품고 있었어요. 우리 부모는 한 번도 누이가…… 권력을…… 장악한 것을 두고 뭐라고 하거나 비판한 적이 없었고요. 그래서 나는 그게 정상이라고 생각했어요."

그는 멀리 떠나 어린 시절로 돌아가 생각에 잠긴 듯했다.

"혹시 엘리자베스가 초대 교회사에 관심을 보인 일이 있는지 기억나세요?"

그는 백일몽에서 빠져나왔다. "지금 그 말 농담이겠죠."

EF의 공책에서.

─물론, 그들은 말을 이어간다, 그 여자는 한 번도 애를 낳은 적이 없고, 그 여자가 그 사실을 "받아들였다" 할지라도 애 없는 여자

는 늘, 어떤 수준에서는, 기본적으로 충족되지 않은 상태야, 그렇지 않아? 거들먹거림과 편집증의 그런 흥미로운 조합.

- 나는 애들에게는 아무 불만이 없어, 너도 이해하겠지만. 나는 능력 있고 애정 있는 고모이자 대모야. 다만 애들은 자라는 데 너무 시간이 오래 걸릴 뿐이야. 그리고 계속 생일을 맞이하잖아. 그렇게 생일을 많이 맞이하는데도 여전히 어른이 될 기미는 보이지 않아. 이런 설계 결함이라니.

- 소비자 선택의 극치를 보여주는 종교의 슈퍼마켓.

- 매년 생일이면 찬장과 선반을 치운다. 이것은 개인위생을 위한 행동처럼 느껴진다. 가끔 나와 가까운 사람들이 왜 나에게 그렇게 많은 향초, 그렇게 많은 스킨 크림, 희한한 원료로 만든 그렇게 많은 잼, 트러플이 들어간 이거 트러플이 들어간 저거가 담긴 그렇게 많은 캔, 그러나 성분을 보면 들어간 트러플은 약 0.05퍼센트임이 드러나는 캔이 필요하다고 상상하는지 궁금하다.

그리고 여기에서 그녀는 강의를 향해 나아가고 있다.

- 교회에 일신교적이고 억압적인 면이 덜했다면, '우리와 비슷하지 않은' 사람들의 추방이 없었다면, 브리튼 사람들은 더 자유롭게 섞였을 것이고, 다른 인종 간 출생은 정상이 되었을 것이고,

백색은 우월의 지표가 되지 않았을 것이다. 따라서 지위와 돈과 권력을 나타내는 분명한 표지가 지금보다 적은 사회가 되었을 것이다. 그 결과 영국사는 다름을 무시하거나 억누르기보다는 그것에서 배우는 나라의 이야기가 되었을지도 모른다. 외부에서 경계심을 품은 존중으로부터 강렬한 혐오에 이르기까지 다양한 감정이 실린 눈으로 바라보는 정복의 나라 대신 세계(또는 세계의 일부)를 다르게 이끈 나라가 되었을 것이다. 종종 그늘에 가리지만 그래도 사회 곳곳에 존재하는 관용, 자유주의, 타인에 대한 선량한 개방성이라는 미덕을 가진 나라의 예로서. 우리의 현재 상황에서는 더욱 성취하기 어려운 일이지만. 잊어버려야 할 자기선전이 그렇게 많고, 우리 역사를 잘못 아는 예가 그렇게 많으니. 물론 이 모든 것을 만일 공개적으로 말한다면 흔히 퍼붓는 저주가 쏟아질 것이다. 패배주의자, 자기혐오자, 빨갱이, 진짜 잉글랜드와 영국의 피를 묽게 만드는 자, 국가의 적 등등. 그러나 DNA 검사는 다양한 '기원'을 보여줌으로써 '백인'을 늘 놀라게 한다. 인종적 순수성이라는 어리석음. 그 대신에 보수적 몽상가들이 '똥개 상태'라고 부르는 것의 찬양을. 그러나 이것은 야망이라기보다는 어떤 식으로든 어디에나 존재하는 것의 인정일 뿐이다.

언젠가 우리의 이탈리아식 점심 식사 도중 그녀에게 크리스마스에는 뭘 하느냐고 물은 적이 있다, 그녀의 가족에 관해, 그들의 애착이 어느 정도인지 아무것도 모르는 채로.

"크리스마스에 나는 병원을 방문해요." 그녀가 대답했다.

나는 허를 찔린 느낌이었다. "그거 정말…… 기독교적이네요."

"자비가 기독교란 종교에 한정된 것이라 할 수는 없죠." 그녀가 대답했다.

나중에 그녀가 병원 입원 환자들에게 어떻게 받아들여질지 슬며시 궁금해졌다. 그들 가운데 몇 명이나 유럽 문학을 토론하고 싶어 할까? 그녀가 호랑가시나무 배지를 달까? 하지만 그런 생각은 경박했다. 또 그녀를 충분히 믿지 않는 것이었다. 환자 가운데 일부는 이 침착한 유령을 반가워했을지도 모른다. 심지어 어떤 식으로든 그녀가 자기들을 단죄하지 않는다는 걸 느꼈을지도 모른다. 십중팔구, 멍청한 웃음만 짓는 물렁한 병원 사제보다는 반가운 사람으로 보였을 것이다.

크리스가 하우스 화이트와인 몇 잔을 마신 뒤 나는 그에게 말했다. "저기요, 이건 좀 불편하게 느껴질 수도 있지만……."

"말해보세요."

"선생님 가족은…… 유대인이었죠, 그렇죠?"

"유대인?"

"네, 선생님 동생이 수업 시간에 한 얘기 때문에."

"뭐라고 했는데요?"

나는 EF가 제프와 나눈 대화를 약간 손질해서 들려주었다.

"아니요, 절대 아닙니다." 그는 불쾌하기보다는 당황한 것 같았다. "왜 그렇게 생각하죠? 리즈가 좀 거무스름한 편이고 두뇌가 발달했다고 생각하기는 하지만……." 우리는 둘 다 똑같이 놀라 서로 물끄러미 바라보았다. 그러나 크리스는 내가 그동안 알게 된 대로 좀처럼 기분 상하는 일이 없고 늘 삶의 불투명한 부분을 농담으로 전환하는 쪽을 좋아했다. "그러니까, 나더러 바지를 내려보라고 요청한다면……."

"미안합니다, 그냥 엄청난 착오였던 게 분명하네요."

나중에 생각해 보니 그건 엄청난 착오가 아니었다. 따라서 EF의 의도적 거짓말인 게 분명했다. 그녀는 가족 구성원을 잃는 것에 관해 그런 말을 하고 강의실을 나갔다. 그러자 정적에 대고 제프는 말했다. "저 선생이 유대인이란 걸 내가 어떻게 알 수 있었겠어?" 나는 한 번도 그걸 의심하지 않았고 나중에 나온 증거는 그걸 확인해 준다고 생각했을 뿐이다.

이름을 바꾼 게 분명한 모피상 아버지, 응석받이처럼 살아온 불평 많은 어머니(이게 다른 문화에서도 익숙한 유형이 아니란 말은 아니지만……).

하지만 왜 거짓말을? 나는 작은 설명과 그보다 큰 설명을 떠올렸다. 작은 설명. EF는 제프가 으스대고 싶어 튀려 한다고 생각했고 그래서 그를 좀 눌러놓겠다고 결심했다. 흐음. 더 큰 설명. 그녀는 유대인인 척하고 있었다. 좀 더 강하게 표현하면 유대인으로 살기로 결심했다. 다시, 왜? 잉글랜드의 반유대주의가 거세질 때 그것과 맞서려고? 그건 말이 잘 되지 않았다. 아니, 모른다. 그건 인위, 즉 어떤 식의 자기 구축과 관계가 있었을지도 모른다. 이번에도, 왜? 만일 그렇다면 유대인—종교와는 상관없는 동화된—인 척하는 게 무슨 이득이 있었을까? 스타일상의 특징이었을까, 머리 모양이나 브로그처럼? 하지만 EF는 그런 짓을 하기에는 너무나도 진지한 정신의 소유자였다, 당연히. 더 젊고 덜 진지했을 때 그런 결정을 내리고 계속 그것을 고수한 게 아니라면.

나는 이 문제를 보류해 놓기로 했다.

가끔 전기 작가들이 어떻게 그 일을 하는지 궁금하다. 정황적이고 모순되고 이가 빠진 그 모든 증거에서 하나의 삶,

살아 있는 삶, 빛나는 삶, 일관된 삶을 만드는 것. 그들은 점쟁이들을 끌고 원정에 나선 율리아누스와 같은 기분일 것이 틀림없다. 에트루리아 사람들은 이런 말을 한다. 철학자들은 저런 말을 한다. 신들은 말을 하고 신탁은 없거나 모호하다. 꿈들은 이런 식으로 경고하고 환상은 저런 식으로 몰아붙이는데 짐승 창자는 이럴 수도 있고 저럴 수도 있다. 하늘은 이렇게 말하고 먼지 폭풍과 조언하는 벼락은 다른 쪽을 고집한다. 진실은 어디 있고, 앞으로 나아갈 길은 어디 있는가?

아니면 일관된 서사란 것은 대립하는 판단들을 화해시키려 하는 것이기에 망상에 불과할지도 모른다. 어쩌면 그냥 검토해 볼 만한 암시적 사실들을 그냥 나열하여 어떤 사람을 설명해 보는 것도 똑같이 가능할지 모른다. 예를 들어

—황제는 안티오크에서 판사석에 앉았을 때 자신이 무심코 다른 판사의 권위를 침범했다는 이유로 자신에게 금 10파운드의 벌금을 물렸다.

—율리아누스에게는 크롬웰 같은 면이 있었다. 꾸밈없고 청교도적이고 전투에서 무자비했다. 한 초상화가가 자신을 실제보다 너무 좋게 묘사한 것을 불평한 이런 일화를 생각해 보라. "친구여, 왜 나를 나 자신의 모양과는 다르게 그린 것인가? 나를 눈에 보

이는 대로 그려라." 사마귀가 있다면 그 사마귀까지.

－그가 과세 제도 개혁에 성공한 것은 인간 본성과 경제 양쪽 모두에 대한 통찰에 의지했기 때문이다. 시민은 대부분 자신이 세금을 지나치게 많이 낸다고 생각하여 귀중한 소유물을 감추거나 소득을 낮추어 신고하기 마련이다. 이럴 때 세금 징수자의 전통적인 반응은 부족분을 메우기 위해 요구액을 늘리는 것이었다. 그러나 율리아누스는 세금을 낮추면 시민이 요구받은 것을 낼 것이라는 점을 이해했다. 그러면 시민은 더 정직해지고 국가 재정 체계가 더 공정하다고 판단할 가능성이 크다.

－율리아누스는 서기 363년 마오가말카를 기습하여 약탈한 뒤 약탈물 가운데 자기 몫을 챙기지 않겠다고 했다. 그는 자신의 것으로는 "우아한 몸짓으로 수어手語에 관해 자신이 아는 모든 것을 전달하는 데 능숙한 벙어리 소년과 금 세 조각"만 받았다. "그는 이것이 자기가 거둔 승리에 대하여 기분 좋게 받을 만한 보상이라고 생각했다."

이렇게 하면 진전이 좀 있을까? 이게 증류일까 아니면 단순한 분산일까? 작은 사건들(이런 사건들이 한 권 분량 있을 수도 있다)이 통합을 이룬 것일까, 아니면 그저 조각만 모아놓은 것일까? 아니면 그냥 질문만 더 하게 만들 뿐일까. 예를 들어, 주인이 죽은 뒤 그 벙어리 소년은 어떻게 되었을까?

나는 허우적거리고 있었다. 의심으로 인한 절망에 사로잡혔다. 그러다가 어딘가에서 로마의 추도 연설에서는 죽은 귀족을 찬양하고 되살릴 때는 일련의 수사와 관습에 의존한다는 것을 읽은 기억이 났다. 그는 이런 식으로, 딱 이런 식으로 지혜로웠고, 이런 식으로 용감했고, 이런 식으로 고결했다. 그래서 떠난 자의 얽고 종기가 난 얼굴에 부드러운 반죽을 발라, 이상화하고 불멸로 만들기에 더 나은 상태로 만들었다. 그러나—이게 핵심인데—그것은 전에 다른 사람들에게도 적용된 정형화된 특징들이며, 미래에도 저명한 망자를 위해 재활용될 터였다. 따라서 이걸 가지고 그를 근대의 맥락에서 '이해'할 수는 없다. 아마 그는 근대 전기의 대상들과, 또 우리 주위의 살아 있는 사람들과 매우 다를 것이다. 아니, 어쩌면 다르지 않을 수도.

그녀의 과거를 생각할 때마다 그것은 두 줄 단추 외투를 입은 남자를 찾는 일로 굳어졌다, 또는 환원되었다. 크리스가 제공한 그 이미지는 내 앞에 그림 수수께끼처럼 걸려 있었다. 그 사람을 어떻게 찾아낸담? 오랜 시간 깊은 생각을 하고 나서야 아마 EF에게 주소록이 있을 것임을 깨달았고, 그는

MIDBO*를 가리키는 M 밑에 들어가 있지는 않겠지만 그럼에도 주소록 어딘가에 있을 가능성은 컸다. 물론 그가 죽지 않았다면. 아니, 죽었다 해도.

그것은 회색 천으로 덮인 작은 수첩으로 주소록다운 방식으로 정리되어 있었다. 친구와 동료는 잉크로, 필기체와 이탤릭 사이의 그 특유의 필체로 기록되어 있었다. 상인과 전문 직업인은 연필로 기록되어 있어, 그들이 유용한 존재로 주소록에 남아 있는 기간은 한정적인 듯했다. 가족은 F 밑에 들어가 있었고 이웃은 N 밑에 들어가 있었다. 사람들 가운데 일부는 연필로 적은 꺾쇠괄호 안에 들어가 있었다. 이들은 아마 죽었을 터인데, 그냥 이름에 줄을 긋는 것보다 다정한 대접을 받고 있었다. 나 자신의 이름을 거기에서 보니 이상하다는 생각이 들기도 했다. 나를 어떤 객관적 존재로 만들어주는 것 같았다. 언제 어떤 천상의 손이 내 존재 둘레에 꺾쇠괄호를 칠지 잠깐 궁금했다.

적어도 나에게는 갑자기 사람들에게 전화를 걸 합당한 핑계가 있었다. 나는 EF의 제자 가운데 하나로 그녀와 계속 연락을 해왔다. 나는 짧은 전기를 쓸 계획인데, 그건 그녀가 내

---

* Man In the Double-breasted Overcoat(두 줄 단추 외투를 입은 남자)의 약자.

평생 만난 사람들 가운데 가장 독창적이라고 할 만하기 때문이다. 그렇게 말해서 상대가 받아들이는 분위기이면 만나 뵈어도 괜찮겠느냐고 겸손하게 제안한다.

어쨌든 그것이 계획이었다. 그러나 곧 모든 사람이 EF에 대해 나와 같은 열광을 공유하지 않는다는 사실, 또 느닷없는 전화는 무례로 느껴질 수도 있다는 사실을 알게 되었다. 또 어떤 사람들은 나의 겸손과 조심성이 비전문적 태도를 드러내는 표시인 양 행동했다. 나에게 정식 연구자의 가차 없음이 결여된 것은 사실이었다. 응답은 "계약서를 준비하면 그때 다시 전화하세요—아니, 전화하지 말고 편지를 보내세요"부터 "뭐 그 사람이 거의 기억나지는 않지만 언제 아침에 커피라도 한잔하러 들르시겠다면"—이건 400킬로미터 떨어진 곳에 사는 사람이 한 말이었다—까지 다양했다. 가끔 "단도직입적으로 말하겠습니다—지금 두 줄 단추 외투가 있나요, 아니면 있었던 적이 있나요? 댁이 그분 필생의 사랑이었나요?" 하고 묻고 싶은 유혹을 느끼기까지 했다.

오래전 배우 친구가 있었는데 그는 새로운 사람들과 어울리게 되어 밤이 깊어갈 때면 가끔 남은 사람들에게 묻곤 했다. "실연한 적이 있나요?" 어떤 사람들은 다음 날 아침 일찍 일어나야 한다는 사실을 기억했다. 어떤 사람들은 그건 사적인 일이라고, 아주 고맙다고 대답했다. 까다롭게 구는 사람들은 그 말의 정의를 따져 묻고, 맥락과 조건을 따져 물어 조사를 지연시키기도 했다. 하지만 나는 그렇게 관습을 거스르는 행동을 하는 내 친구에게도 감탄했다. 또 끝까지 남은 사람들은 천성이 솔직해서든 술에 용기를 얻어서든 종종 소리 죽여 강렬한 감정을 담은 이야기를 주고받았는데, 이는 퀴즈를 낸 내 친구가 자신이 상심했던 방식과 빈도를 먼저 나서서 거리낌 없이 드러내는 데 힘입은 것이었다.

엘리자베스 핀치라면 그런 초대에 어떻게 반응했을지 가끔 궁금했다. 어떤 사람들은 이 우아하고 침착한 여자가 미소를 지으며 잠자리로 떠났을 거라고 생각할지도 모른다. 하지만 내 짐작으로 그녀는 내 친구의 개방적 태도에 맞먹는 솔직한 반응을 보였을 것 같다. 그리고 듣는 사람들은 그녀의 말에 충격을 받았을 것이다. 그녀가 누구를 어떻게 사랑했느냐 하는 것이 아니라 그녀의 시야가 선명하고 자기 연민은 찾아볼 수도 없다는 것에.

내가 상상하는 광경. 두 줄 단추 외투를 입은 남자. 엘리자베스 핀치의—내가 그녀에게 이런 표현을 감히 사용해도 된다면—아양을 떠는 행동. 연인의 행동이다, 물론. 그리고 이 것은 분명히 그들의 관계의 출발도, 그렇다고 끝도 아니었다. 또 현행범으로en flagrant délit, 그녀라면 그렇게 표현했겠지만, 포착된 것도 아니었다. 크리스토퍼에게 그때 그녀한테 혹시 짐이 있었냐고 물었지만 기억이 나지 않는다고 했다. 하지만 남매가 그때 점심을 함께했던 걸로 보아 만일 그녀에게 작더라도 여행 가방이 있었다면 틀림없이 그의 눈길을 끌었을 것이다.

그녀는 손바닥을 아래로 깔고 두 손을 앞으로 내민다. 그는 손바닥을 위로 올려 손을 그녀의 손 밑으로 내민다. 그녀는 그에게 몸을 지탱하여 한쪽 뒤꿈치를 들어올리고, 다른 쪽 다리는 마치 저절로 움직이는 것처럼 무릎에서 구부러져 뒤로 튀어 나간다, 플라밍고처럼. 분명히 일회적인 몸짓은 아니다. 그것은 그들이 작별 인사를 하는 방식이다—또 틀림없이 만났을 때 인사를 하는 방식이기도 하고…… 그것은 이미 내 머릿속에서 고정된 이미지가 되었다. 고정된 이미지이기는 하지만 내가 그 장면을 직접 목격한 듯한 느낌이라기보다는—사진이나 해상도가 떨어지는 비디오의 한 부분을 검토하고 있는 것과 비슷했다. 그 비디오는 멀어지는 그의 모습을 그녀가 지켜보고 있는 것으로 끝난다.

이것은 간신히 시간을 낸 만남의 끝일 수도 있다. 그는 바쁜 남자다. 장소는 익명성이 보장되는 광장, 눈에 띌 가능성이 작은 곳이다. 하지만 크리스토퍼가 일찍 나타날 위험을 무릅쓴다. 나는 그 남자가 기혼이라고, 아니면 적어도 다른 사람이 이미 있다고 결론을 내린다. 그는 시간이 별로 없다. 그녀는 그를 깊이 사랑한다. 그녀는 그가 멀어지는 모습을 갈망 어린 눈으로 좇는다.

아니면 반대일지도 모른다. 그는 그녀가 크리스를 만나기 전 잠깐이라도 그녀와 에스프레소를 한 잔 마시려고 시내 건너편에서 쏜살같이 달려왔다. 그는 그녀를 깊이 사랑한다. 그들은 그 침울한 날 잠시라도 황금의 순간을 나누었다. 그는 멀어지면서 그녀를 돌아보지 않는데 그것은 그가 천성적으로 신중하고 조심성이 많기 때문이다. **아니면,** 그가 돌아보지 않은 것은 설사 내일 다시 볼 예정이라 해도—일등 침대 열차를 타고 해외여행을 갈 계획을 짜놓았다 해도—그녀를 떠나는 것이 너무 고통스럽고, 마지막으로 고개를 돌려 그녀를 보았자 그 고통이 가중될 뿐이기 때문이다. 그는 흐느끼고 있을지도 모른다. 대놓고 울고 있을지도 모른다. 그는 스토아철학의 실천 능력이라는 면에서는 그녀보다 한참 뒤떨어진다.

그녀가 그런 스토아철학자라면 왜 때가 되었을 때 안락사를 시켜달라고 의사에게 부탁하지 않았을까 하고 우리는 묻는다—아니, 나는 궁금하다. 스토아철학자는 무슨 일이 벌어지든 스토아철학적으로 견딘다는 뜻 아닐까? 어쩌면 나는 스토아철학자들을 어떤 기독교인들과 혼동하고 있는 건지도 모른다. 그 기독교인들은 모든 게 주의 뜻이며, 따라서 죽음의 고통 또한 자신을 위한 하느님의 계획의 일부이기 때문에 견디어야 한다고 믿는다. 그 계획에는 계속 가빠지는 괴로운 숨을 몇천 번 더 쉬게 하고, 거기에 모르핀으로도 맞설 수 없는 고통을 맛보게 하고, 또 죽음에 대한 공포를 경험하게 하는 것이 포함된다. 이 모든 게 그들이 땅을 상속받고 환영을 받으며 하늘의 품 안으로 들어갈 때 그들에 대한 주의 목적이 무엇이었는지 이해하게 하려는 것이다("그대가 이겼다……"). 아니, 엘리자베스 핀치의 철학에는 우리가 어떻게 해볼 수 있는 일이 있고 우리가 어떻게 해볼 수 없는 일이 있다. 스토아철학자에게는 힘이 있다. 이 죽는다는 일은 견딜 수 없고, 의미 없고, 자신을 포함하여 모든 사람의 시간을 매우 낭비하는 것이기에 그것을 끝내는 데 우리가 동의해야 한다고 제안할—아니, 요구할 힘. 다만 그녀에게는 이제 그럴 힘이 없을 뿐—그 힘은 다른 사람의 손에 쥐어져 있다. 그녀의 묵인에 따라 대리권 형태로 옮겨 갔기 때문에. 그다음에는 우리가 어떤 의사의 손에 맡겨지느냐 하는 운의 문제가 있을 뿐이다.

이것은 나의 이야기가 아니다, 내가 이미 말했는지 몰라도. 그 당시 내 삶은 흥미로웠지만 다른 누구에게도 객관적 흥미를 자아내지는 못했다. 내 삶은 예측 가능한 기대와 실망의 그래프 선을 따라가고 있었다, 반복해서. 하지만 한 가지는 말해두겠다. 모든 행복한 가족은 똑같이 행복하고, 모든 불행한 가족은 서로 다르다는 유명한 말.* 나는 늘 그가 이걸 거꾸로 말했다고 생각했다. 내가 본 거의 모든 불행한 가족—나의 두 가족을 포함하여—은 늘 반복되는 공식에 따라 불행했다. 반면 행복한 가족은 어떤 자족적인 규범과는 거리가 멀며, 종종 적극적이고 개별적인 성격과 노력의 결과인 경우가 많다. 그러나 세 번째 범주도 있다. 행복한 척하는, 또는 한때 행복했다고 거짓으로 기억하는 가족이다. "가족으로 존재하려면 자기 역사를 잘못 알아야 한다!" 반면 행복하지만 불행하다고 거짓 주장을 하는 가족은 상상할 수 없다. 그

---

* 톨스토이의 『안나 카레니나』에 나오는 구절이다.

러나 이건 옆으로 샌 이야기다.

　다시 돌아가자. 며칠 뒤 나는 유대인 문제에 관해 더 생각
해 보았다. 사실 EF는 진실을 말하고 있었다. 거짓말을 한 것
은 그녀의 오빠다. 그렇다, 크리스, 대단히 잉글랜드적인 사
람, 금발인 사람, 시골 사람이 되고자 한 사람, 의도적으로 고
상한 사상과 고상한 문화를 피하는 사람, 에식스 빌리지에
살고 술을 즐기며 농담하듯이 바지를 내리겠다고 제안하는
차분한 사람. 그녀가 아니라 그가 사기꾼이다. 아니, 그건 지
나치게 비난조의 표현이다. 그보다는, 그가 남매 중에 자기
구축이 된 쪽이라고 하는 게 좋겠다. EF의 표현대로 하자면
인위를 통해 자신의 진정성을 확립한 쪽이다. 물론 내가 그
런 식으로 말을 했다면 그는 당황한, 도저히 자기 머리로는
못 따라가겠다는 사람인 양 연극을 했을 것이고, 그러면 나
는 그의 의도대로 거기에 완전히 넘어갔을 것이다.

　그러다 좀 더 생각해 보았다. 나는 EF를 믿는 쪽을 더 좋
아한다. 사실, 그녀는 늘 진실을 말했다. 그러지 않을 때만 빼
고. 예를 들어 크리스가 두 줄 단추가 달린 외투를 입은 남자
가 누구냐고 물었을 때 그녀는 대답했다. "아 저기? **아무도
아니야.**" 분명히 진실이 아니다. 하지만 사랑과 섹스 문제에

우연은 비켜 가지 않는다　　　　　　　　　　　　　　　227

서 거짓말을 하지 않는 사람이 어디 있는가? 나는 핵심은 늘 무엇을 또 누구를 믿느냐 하는 것이라고 생각한다. 그리고 죽으면 다 바뀐다. 사후에 남는 믿음은 이럭저럭 진실로 굳어진다.

이렇게 된 일이었다. 그녀는 가끔 《런던 리뷰 오브 북스》에 글을 썼다. 그러다 그쪽에서 공개 강의 시리즈를 시작하면서 그녀에게 참여를 권했다. 강의료도 주겠다고 했다. 그녀는 돈은 사양하면서 한 가지 조건을 내걸었다. 그 행사를 어떤 식으로든 기록하지 않는다는 것. 그녀는 그런 행사는 특별하다고 믿었다. '공개'지만 동시에 사적이다. 사람들은 그녀의 강연을 들으러 오려고 어떤 식으로든 노력했을 것이다. 따라서 그 답으로 그녀는 오직 그들에게만 이야기한다. 이것은 그녀의 순진함일 수도 있었다. 하긴 그녀가 늘 그녀의 학생들 눈에 비쳤던 것처럼 세상 경험이 많은 것은 아니었다.

나는 작은 광고를 통해 그걸 알아냈다. 물론 EF는 나에게 "그런데 내가 공개 강의를 하게 되었는데 한번 와주면 힘이 될 거야" 하고 말한 적이 없었다. 그녀는 그런 요청이 한심할 뿐 아니라 남을 조종하려는 것이기도 하다고 간주했을 것이다. 내 생활에 대한 간섭이라고.

그녀는 그 강의 제목을 "그대가 이겼다, 오 창백한 갈릴리인이여"라고 붙이고 싶었지만 《런던 리뷰 오브 북스》는 그것을 "우리의 도덕은 어디에서 오는가?"라고 부드럽게 손보았다. 나는 그녀의 시선에서 한참 벗어난 곳에 앉아 머리를 한쪽으로 기울이고 있었다. 그녀의 수업을 듣던 때로 돌아간 것 같았지만 그때 같은 불안은 없었다. 이번에는 이야기를 미리 알고 있었다. 그녀는 율리아누스가 페르시아 사막에서 죽은 것에서 시작하여 그것이 이교 신앙과 헬레니즘에 참사라고 이야기했다. 또 일신교의 승리—이자 재앙—였다고. 기독교의 지배와 부패가 "유럽 정신의 폐쇄"를 낳았다고. 율리아누스는 잇따라 등장하는 여러 교황보다 도덕적으로 우월했다고. 환희—그래, 그녀는 구체적으로 "환희"라고 말했다—가 유럽에서 빨려 나갔다고, 카니발 같은 이교적 생존물이 허용된 경우를 제외하면. 또 가톨릭과 신교 양쪽의 압제적 성격. 유대인과 이슬람교도에 대한 수치스러운 박해와 추방. 우리의 도덕적 태도와 행동의 원천은 우리 대부분이 의식하는 것보다 먼 과거에 있다는, 그러나 안타깝게도 '배교자' 율리아누스의 짧은 치세로까지 거슬러 올라가지는 않는다는 그녀의 근본적 믿음.

그녀의 강의는 보통의 경우라면 기사화되지 않았을 것이

다.《타임스》의 나이 든 고전 담당 기자가 몇백 단어를 송고하는 일이야 있을 수 있겠지만. 하지만 여름이었고, 의회는 휴회였고, 이때만큼은 영국군이 관련된 전쟁이 벌어지고 있지 않았고, 해결되지 않은 어린이 유괴 사건도 없었다. 저널리스트가 달려들 만한 기사거리가 없었다. 또《런던 리뷰 오브 북스》를 우익 언론에 속한 자들이 아주 수상쩍게 바라본다는 점도 있었다. 그들은 이것을 좌파, 불순분자, 사이비 지식인, 코스모폴리탄, 반역자, 거짓말쟁이, 반군주제적 해충의 둥지로 보았다. 또 역사적으로 잉글랜드가 도덕성의 발작에 공적으로 탐닉하는 것을 즐겨왔다는 요인도 고려해야 할 것이다.

표제는 "**미친 여교수 로마 황제가 우리 성생활을 망쳤다고 주장**"이었다. EF의 냉정한 사실 제시와 사변이 추문으로 변한 과정은 쉽게 상상할 수 있을 것이다. 예를 들어 시인 스윈번은 동성애자로 알려져 있는 데다가 채찍질 취향이었다. 교수는 이것이 고려할 가치가 있는 견해를 가진 훌륭한 잉글랜드 신사의 모습이라고 생각하는가? 도대체 무슨 뜻으로 예를 들어 "유럽 정신의 폐쇄"라는 말을 한 것인가? 셰익스피어, 레오나르도 다빈치, 단테, 베토벤, 다윈, 아이작 뉴턴 등이 다 유럽 정신에서 나왔는데? 앞서 말한 유머 감각 없는 "미친 여

교수"와 대조를 이루는 교훈적인 예라 할 수 있는 몬티 파이 선은 말할 필요도 없을 것이다. 우리가 침대에서 벌이는 일이 오래전에 죽은 기독교인과 교황들이 그 문제에 관해 생각한 것에 어떤 식으로든 영향을 받는다는 주장은, 한 논설위원의 말에 따르면 "엉터리 개소리"였다.

이 기사는 갑자기 관심을 끌었다. 기자들이 엘리자베스 핀치의 집 앞에 진을 치고 최대한 밉상으로 사진을 찍었다. 기자들은 EF의 '제자'를 찾아내, 그녀가 강제수용소에서 죽은 친척들을 '과시'하면서 전사한 제자의 아버지를 '조롱한' 적이 있고, 또 『히틀러의 탁상 담화』를 읽자고 제안했다는 기사를 실었다. "당신 이름이 정말로 엘리자베스 핀치인가?"(혹시 제시카 핑클스타인*에서 개명한 것 아닌가?) 같은 질문이 쏟아졌다. 그녀가 일신교를 공격한 것을 두고 한 논설위원은 "우리 문화와 문명을 똥개화하는 데 헌신하는 태도로서 코스모폴리탄 지식인 계급의 전형적인 모습"이라고 규정했다. "그들은 세계 시민임을 내세우지만 어느 곳의 시민도 아니며 우리가 사랑하는 잉글랜드 교구 교회를 모두 '다종교 센터'로 바꾸어놓을 것이다." 한 신문은 EF를 해고할 것을

---

* 유대인이라는 게 드러나는 이름.

런던 대학교에 요청했다. 몇 년 전에 퇴직했다는 사실이 밝혀지자 연금 지급을 중지할 것을 요구했다. 《가디언》이 언론 자유에 관한 사설을 게재한 반면 플리트 스트리트*의 저급한 끄트머리에서 어떤 신문은 1면에 두 장의 사진을 나란히 실었다. 하나는 문 앞에 진을 친 기자들을 보고 놀라는 지친 표정의 EF의 사진이었고, 또 하나는 "본드 걸 오디션을 본 적이 있는" "글래머 모델"의 사진이었는데, 이 모델은 곧 자신의 "아름다움의 비결"에 관한 책을 출간할 예정이었다. 밑에는 이런 설명이 붙어 있었다. "우리는 누가 사랑과 섹스에 관해 더 잘 알 것 같은지 묻는다. 리즈 교수인가 아니면 루셔스 린지인가? 당신이 결정하라." 전화번호와 함께 "당신의 의견을 제시해 달라"는 권유도 적혀 있었다. 《가디언》은 린지의 출판사 소유자가 같은 신문사 소유주인 갑부이며 그가 세금을 회피하고 영국에서 살지도 않는다는 사실을 지적했다. 그러나 이게 이 이야기의 핵심이라고 생각하는 사람은 거의 없었다.

EF 자신은 아무 말도 하지 않았다. 《런던 리뷰 오브 북스》에도 논평하지 말라고 요청했다. 그쪽에서는 그녀의 강의를 팸플릿으로 내겠다고 제안했으나 그녀가 거절했다.

---

* 영국 신문업계를 가리킨다.

똥보라가 몰아치다 제 풀에 소멸한 뒤 나는 그녀에게 편지를 썼다…… 무슨 편지? 조문 편지? 어조를 잡기가 힘들었다. 너무 공감을 표시하면—심지어 적당량만 집어넣어도—어쩐지 그녀가 약하고 힘이 없는 존재라는 암시가 될 것 같았다. 또 세상이 멋대로 휘두르는 잔혹성을 잘 모르는 순진한 존재라는. 어쩌면 심지어 내가 '망신 주기'라고 생각하게 된 것을 버티고 살아남을 정신적 강인함이 결여된 존재라고까지.

놀랍게도 그녀가 전화를 했다. 이것은 주로 우편과 점심으로 이루어지던 우리 관계에서는 드문 일이었다.

"사람들은 아무것도 이해하지 않는 쪽을 택해요." 그녀는 자신이 조롱과 경멸을 당한 것이 퇴직한 학자가 영위하는 삶의 정상적인 한 부분이라도 되는 것처럼 아주 차분하게 말했다. "나 대신 화를 내준 것은 고마운 일이지만 그럴 필요 없어요. 사람들은 아무것도 이해하지 않는 쪽을 택해요." 그렇게 할 말을 다 하고 나자 그녀는 수화기를 내려놓았고 그 문제는 두 번 다시 언급되지 않았다.

이 모든 일이 그녀를 더—훨씬 더—은자처럼 만들었다고 자신할 수는 없다. 그녀 일상의 패턴은 오래전에 결정이 되었고 변하지 않았다. 하지만 당연히 그녀는 그 뒤로 두 번 다시 강의하지 않았고 아무것도 발표하지 않았다—심지어 서평도.

나는 이 가운데 어느 것도 그녀와 논의할 수 없었기 때문에 에픽테토스의 『편람』의 핵심 머리말로 돌아갔다. "어떤 일은 우리가 어떻게 해볼 수 있고 어떤 일은 우리가 어떻게 해볼 수 없다." 우리가 어떻게 해볼 수 있는 일을 하면 "성격상 자유롭고 방해가 없고 막힘이 없다". 반면 우리가 어떻게 해볼 수 없는 일을 하면 "약해지고 속박되고 방해받는다. 그것은 우리 자신의 것이 아니다". 우리는 바꿀 수 있는 것과 바꿀 수 없는 것 사이의 본질적인 차이를 인정해야만 자유롭고 행복할 수 있다. "우리가 어떻게 해볼 수 없는" 일은 "우리의 몸", "우리의 소유", "우리의 평판", "우리의 공직"이다. **우리의 평판.**

내가 생각한 두 번째는 이런 것이다. 위의 사실에도 불구하고, EF의 알려진 성격과 정신에도 불구하고, 전화상으로 전달받은 반응에도 불구하고, 그런 것에도 불구하고, 그 모든 것에도 불구하고, 나는 그녀에게 일어난 일을 일종의 순교라고 본다. 우리는—그리고 틀림없이 그녀는—이것을 수사적 과장이라고 볼 수도 있다. 결국 아무도 죽지 않았으니까. 그녀도 피해자나 신화가 되기를 바라지 않았으니까. 그럼에도 천

박한 공적 망신 주기, 또 그녀가 믿는 모든 것에 대한 조롱. 따라서 괜찮다면 나는 그게 순교라는 입장을 고수하겠다.

마지막 생각. '망신 주기'에 관한 생각. EF는 뒤로 물러났다, 그녀는 세상 안에 덜 존재했다. 그러나 **망신당했다고 생각하지는 않았다.**

세월이 흐른 뒤, 그녀가 죽은 뒤, 나는 크리스와 점심을 먹을 때 그 이야기를 꺼냈다. 조심스럽게 접근했다. 크리스가 읽는 신문이 그 이야기를 처음 쓰기 시작했다고, 아니면 적어도 열심히 쫓아갔다고 생각하고 있었기 때문이다.

"엘리자베스한테 그 문제가 생겼을 때ㅡ있잖아요, 그 강연ㅡ그 이야기를 선생님한테 하던가요? 그러니까, 나한테는 하지 않으려 했거든요. 할 이유도 없었고." 이렇게 겸손을 떠는 것은 약간 위선적이기도 했고, 핀치의 방식도 아니었다.

크리스는 한동안 입을 다물고 있었다. "물론 신문에서 봤죠. 제목만 훑었을 뿐이지만. 사실 계속 따라가지는 않았어요. 그냥 생각했죠, 나쁜 새끼들. 리즈가 무슨 짓을 했다고 그런 꼴을 당해야 해? 나는 그 신문을 끊었어요ㅡ어쨌든 몇 주 동안은. 어쩌면 선생이 나한테 그게 도대체 무슨 영문이었는지 설명해 주실 수도 있겠네요."

여기에는 대비가 되어 있지 않았다. 나는 '배교자' 율리아누스와 갈릴리인들에 관해 자세히 설명하기 시작했으나 그가 얼른 말을 끊었다.

"아니, 사실 알고 싶지 않아요. 그냥 그게 똥 같은 짓이라고 생각했을 뿐이에요. 누이 사진을 수영복에서 살이 삐져나오는 어떤 반쯤 벗은 쭉쭉빵빵 옆에 놓는다는 게. 리즈가 하려고 했던 이야기가 그 녀석들은 도무지 이해 못 할 것이었던 게 분명해요, 어쨌든."

"선생님한테 그 이야기를 했나요?"

"내가 카드를 보냈죠. 일주일 정도 답이 없었어요. 그건 드문 일이었죠—보통은 답을 했거든요. 그래야 그걸 책상에서 치워 쓰레기통에 집어넣을 수 있으니까." 그러더니 갑자기 미소를 지었다. "어쨌든, 열흘쯤 뒤에 짧은 편지를 받았어요. 완전히 리즈다운 편지. 누이는 가족이 망신하게 해서 미안하다고 했어요—아니, 그런 식으로 표현하지는 않았죠. '가족의 방패*를 더럽혀서 고통스럽다'고, 우리 모두 마을에서 쫓겨나지 않기를 바란다고 했어요. 뭐 그럴 가능성은 크지 않았지만. 사실 핀치는 아주 흔한 성이고 앞서 말했듯이 누이

---

* 문장紋章이 그려져 있다.

는 에식스에는 절대 얼굴을 비추지 않았으니까. 어쨌든 오랜 세월 동안. 아, 그래, 누이는 이렇게 서명했어요. '죄를 지었지만 회개하지 않는 여동생, 엘리자베스.'"

"딱 엘리자베스 같네요."

"그렇죠. 그걸 보니 기운이 났어요, 솔직히 말해서. 그 새끼들이 누이를 쓰러뜨리지 못했다는 걸 알게 돼서."

"그다음에는요?"

"그다음에는 여전히 런던에 올라가서 TT** 점심을 함께 했죠. 또 누이는 계속 애들을 데리고 외출했어요—이제는 다 컸는데도."

"그냥 관심이 생겨서 그런데…… 왜 알코올 없는 점심을 그냥 견뎠나요? 엘리자베스는 선생님이 술을 마셔도 상관하지 않았을 텐데."

그는 잠시 입을 다물었다. "거기서 어떤 즐거움을 느꼈기 때문이죠. 점심 먹을 때 **꼭** 술을 마실 필요는 없어요. 그냥 마시는 쪽이 좋다는 것일 뿐. 그리고 내가 마시고 싶어 할지도 모른다는 생각이 리즈의 머릿속에는 한 번도 떠오르지 않았다는 사실이 마음에 들었어요. 그냥 거기 앉아서 이런 생

** 차와 토스트Tea & Toast를 가리킨다.

각을 하곤 했죠. '너는 나보다 똑똑하고 나보다 젊고 나는 너를 누이로서 사랑하지만 너도 모든 걸 아는 건 아니구나.' 그것 때문에, 웃기는 일이기는 하지만, 누이를 더 사랑하게 됐어요. 이상한 거예요, 인생이란, 그렇게 생각하지 않아요?"

나는 동의했다.

이 말 (그리고 그게 예상치 못한 사람에게서 나왔다는 사실) 때문에 나는 사랑의 은밀성에 관해 생각하게 되었다. 드러내지 않는 것과 말하지 않는 것. '감히 자기 이름을 말하지 못하는 사랑'* 같은 걸 말하는 게 아니라 일반적인 즐거움, 뭐라 해야 하나, 어떤 스스로 선택한 감춤이 주는 일반적인 즐거움을 말하는 것이다. 나는 엘리자베스 핀치를 사랑했다고 말했다. 어쨌든 나는 그랬다고 상당히 자신 있게 말할 수 있다. 그리고 지금도 사랑한다, 무덤 너머에서. 그것은 교실에서 출발한 사랑이지만 아이들이 교사에게 느끼는 송아지 사랑, 강아지 사랑이 아니었다. 사실 나는 30대 중반이었다. 그 사랑은 어떤 면으로도 부부의 사랑—적어도 내가 경험한 바—과 닮지는 않았다. 그렇다고 환상에 기초한 사랑도 아니었다, 가벼

---

* 오스카 와일드가 동성애와 관련해서 한 말.

운 성적 꿈을 꾸기는 했지만. (고백 한 가지. 한가하게 공상을 하던 순간에, 있을 법하지 않기는 하지만 우리가 함께 침대에 들어가는 사건이 생긴다 해도 그때도 나는 그녀를 "엘리자베스 핀치"라고 부를 거라고—성과 이름을 다 부를 거라고—생각하곤 했다. 또 그런 부질없는 꿈에서는 그녀가 이것을 환영하고, 또 이불 밑에서 그런 호칭의 공식성이 변화를 일으켜 그 두 단어가 친밀한, 놀리는 듯한, 섹시한 색채를 띠게 될 거라고 생각하기도 했다. 뭐, 듣는 사람 마음대로 해석해도 좋다.) 또 내 사랑은 어느 모로 보나 망상은 아니었다. 물론 나는 그녀에게 그 이야기를 한 적이 없지만 그랬다고 해도 그녀는 린다에게 그랬듯이 테이블 건너로 손을 뻗어 내 손 옆에 자기 손을 놓고 대답했을 것이다. "그게 유일한 거죠." 그건—짐작건대—불장난을 부추기는 말이 아니라 합의된 사실에 대한 평범한 인정이었을 것이다.

EF에 대한 내 사랑은 어떤 범주에 들어갈까? 글쎄, 낭만적–스토아철학적이었다고 말하고 싶은데, 그건 어울린다. 그럼 내가 아내 둘보다 그녀를 더 사랑했을까? 이런 식으로 말해보자. 사랑하는 사람을 깊이 또 잘 알고 있다 해도 그 사람에게 놀라게 되는 것이 사랑의 속성이다. 그게 사랑이 살아있다는 표시다. 타성은 사랑을 죽인다. 성적인 사랑만이 아니다. 모든 사랑이 마찬가지다. 내 경험으로는 부부의 사랑에서

'놀라움'은 첫 몇 년 뒤에는 가끔 그저 별난 행동 때문일 뿐이라는 게 드러나기도 한다. 더 나쁜 것은, 그런 행동이 단지 남편만이 아니라 자기가—사실은 삶 자체가 지겨워졌다는 표시라는 점이다. 물론 당시에는 이런 걸 전혀 이해하지 못했다. 어쨌든 EF가 주는 놀라움은 달랐다. 삶보다 책을 좋아하는 사람들이 있고, 그들은 사람과 맺는 더 깊고, 더 불온한 관련을 경계한다. 내가 그렇다고 생각하지는 않는다. 하지만 아마 그 전이나 후나 내가 안 다른 어떤 사람보다 EF를 사랑하는 쪽을 더 좋아했을 거라는 건 사실이다. 그녀를 더 사랑했다는 게 아니라—그건 있을 법하지 않은 일이라고 할 수 있다—그녀를 신중하게 사랑했다는 거다. 삼가면서, 또 무겁게.

그녀는, 아주 간단히 말해, 내가 평생 만난 가장 어른스러운 사람이었다. 어쩌면 유일하게 어른스러운 사람이라고 말하고 싶었을 수도 있겠다. 물론 그녀는 축구나 유명 요리사나 늘 변하는 패션의 영향력, 또 텔레비전 드라마라든가 뒷담화에 관심이 없었다. 오래전에 인간적 관심사의 정상적 대역폭과는 거리를 둔 자기만의 관심 수준을 정해버렸다(하지만 아니, 그녀는 결코 속물이 아니었다). 그냥 더 길고, 또 더 높은 관점을 갖고 있었을 뿐이었다. 흔한 이유로 공직 생활에서 불명예를 안게 된 것으로 보이는 어떤 장관에 관해서 우리가 토론했던—아니, 나 혼자 흥분해서 떠들던—기억이 난다. 나는 말을 끊고 그녀에게 물었다.

"선생님은 정치가들을 경멸한다고 생각하는데요?"

"도대체 왜 그렇게 생각하죠?"

"그 사람들이 부패했고 자기 본위이고 허영심이 많고 무능하기 때문이죠."

"나는 동의하지 않아요. 그들 대부분에게 선한 의도가 있고 또 스스로도 그렇다고 믿고 있다고 생각해요. 그래서 그들의 도덕적 비극이 더욱더 동정받는 거죠."

내가 무슨 말을 하고 싶은지 알겠는가? 그녀의 표현의 은은한 빛, 그녀의 뇌의 광채.

또 다른 기억. 그녀의 눈은 갈색이었고, 늘 뜬 상태인 것 같았기 때문에 다른 사람들의 눈보다 크게 느껴졌다. 그녀가 눈을 깜박거린 것을 기억할 수가 없다. 마치 눈을 깜빡거리면 세상으로부터 자신을 닫아버려—게을러서, 두려워서—이 행성에서 사는 삶의 천 분의 1 또는 2초를 낭비하게 된다고 생각하는 것 같았다.

EF의 공책에서.

–영어에서 '사랑'이라는 말보다 신비화되고, 오용되고, 오해되고, 의미와 의도가 제멋대로이고, 오염되고, 거짓말하는 수많은 입에서 나온 침으로 더럽혀진 말이 있을까? 이를 두고 불평하는 것보다 진부한 것이 있을까? 이런 오용에도 불구하고 우리는 이 말을 대체할 수 없으니 이 말은 동시에 강건하고 단단하고 그 갑옷은 뚫을 수가 없기 때문이다. 물도 폭풍도 못 건드리고 벼락도 비껴간다.

나는 이 기록을 가끔 읽으며, 보편적 진리라고 여겨지는 이 말을 생각해 보곤 했다. 그러다가 얼마 전 북한에서 남한으로 탈출한 여자에 관한 신문 기사를 스크랩했다. 그녀는 사랑에 관해 말하고 있었다. "서양에서 자란 사람들은 로맨스가 자연스럽게 생겨난다고 생각할 수 있지만 실제로는 그렇지 않다. 로맨틱해지는 방법은 책과 영화에서, 또는 관찰을 통해 배우는 것이다. 하지만 나의 부모 시대에는 배울 만한 모델이 없었다. 그들은 심지어 자신의 감정에 관해 말할 수 있는 언어도 없었다. 눈을 보고, 또는 말할 때 목소리의 변화를 듣고 사랑하는 사람이 어떤 감정인지 추측할 수 있을 뿐이었다."

또는 이럴 수도 있다. 그녀는 그의 두 손에 몸을 지탱하여 한쪽 다리의 뒤꿈치를 들어 올리고 다른 쪽 다리는 뒤로 뻗는다, 플라밍고처럼. 가끔은 우리 모두 북한 사람이 될 수도 있는 듯하다.

내 공책에서(공책이 있다면).

—너와 엘리자베스 핀치의 관계를 짧게 묘사하라. "그녀는 나에게 조언하는 벼락이었다."

그녀의 『황금 전설』을 끄집어냈다. 성 우르술라에 관한 부분을 다시 읽은 다음 그녀가 가볍게 연필로 표시한 것들을 찾아 페이지를 넘겼다. 줄, 체크, 가위표—이게 그녀가 주해를 다는 방식이었다. 이 표시들은 종종 순교의 호칭 기도에서 중심인물이 아닌 사람들의 평범한 인간적 반응에 주목한다. 예를 들어 나르본의 부잣집에서 태어나 성스러운 죽음을 갈망하던 두 형제의 사례가 있다. 그들의 어머니는 미리 애도를 하며 그들을 이렇게 야단친다.

죽는 자가 처형자에게 죽여달라고 간청하고, 목숨을 끝내달라고 애원하며 어서 오라고 죽음을 부르다니, 죽는 방법이 새로 나타났구나! 젊은 아들이 기꺼이 젊음을 버리고 부모는 동정받는 나이까지 계속 살게 되다니, 새로운 슬픔, 새로운 애도가 생겨났구나!

여기에 그들의 나이 든 아버지까지 애원하고, 이어 두 부인까지 애원하자 이 젊은이들의 결심은 흔들리기 시작한다. 그러자 미래의 성 세바스티아누스가 나타나 그들의 사기를 북돋고 기적을 일으키고 순교의 영광을 찬양한다. EF가 연필로 두 줄을 그어놓은 그의 주장은 삶에 대한 비난과 죽음에 대한 긍정이다. "세상이 시작된 이후로 삶은 그것을 믿는 사람을 속였고, 그것을 구하는 사람을 바보로 만들었으며, 그것을 신뢰하는 사람을 조롱했다. 삶은 아무에게도 확신을 주지 못하고, 모두에게 거짓으로 드러난다." 최선의 대응은 가능한 한 빨리 거기에서 빠져나가는 것이다. 두 형제는 자신들의 신앙을 더 강하게 내세워 말뚝에 묶인 채 창에 꿰뚫린다.

이 죽음들은 세바스티아누스 자신의 죽음을 알리는 전조일 뿐이다. 그는 최고의 순교자들과 마찬가지로 처음에는 자신을 죽이려는 시도를 몇 번 피한다. 이 죽음 전 죽음의 가장 유명한 사례는 황제 디오클레티아누스가 그를 나무에 묶고 화살 연습용 과녁으로 쓰라고 명령한 것이다. "그들이 화살을 잔뜩 쏘는 바람에 그는 고슴도치처럼 보였다." (아하, 나는

EF의 공책을 떠올렸다—그리고 책에서 이 대목의 여백에는 확인용 체크 표시가 있다.) "그들은 그가 죽은 것으로 여기고 거기 놓아두었다." 이 장면은 많은 화랑에 걸린 그림으로 익숙한데, 그래서 나는 늘—디오클레티아누스의 궁수들과 마찬가지로—그들의 화살이 성 세바스티아누스의 죽음의 진짜 원인이라고 생각하고 있었다. 사실 그는 이렇게 고슴도치가 되어서도 살아남았고, 그가 순교의 관문을 통과하게 되는 것은 이때가 아니라 곤봉으로 맞고 하수구에 버려졌을 때였다. 하지만 화가들이 앞부분을 그림으로 묘사한 것은 잘한 일이었다. 나는 EF의 말을 기억했다. "기독교라는 종교의 성공 비결한 가지는 늘 최고의 영화제작자를 고용한 것이죠."

현대 이슬람교 순교자들은 축복받은 변화의 순간에 불신자를 최대한 많이 데려가려 한다. 기독교 순교자들은 설득력이 뛰어나 순교하기 전에 다른 많은 사람을 개종시키고 그들에게 천국으로 가는 줄에서 새치기를 하라고 촉구했다. 어느 쪽에서든 나는 "죽음을 향한 그런 욕망은 거의 육욕과 같다"라는 EF의 말을 기억했다.

'배교자' 율리아누스 같은 이교도는 신앙 의식에서 동물 희생을 이용했다. 그가 흰 황소를 바친 것은 지나쳐 보일지도 모르지만 사람들은 최고를 바치는 것으로 신들을 기렸다 (그리고 그들이 자기편을 들게 했다). 이게 원시적으로 보일지 모르지만 과거의 그 이교도들에게는 현대가 더 원시적으로 보일지도 모른다. 우리는 수백 년 동안 신학적인 목적이 아니라 요금을 내고 표를 사서 보는 구경거리의 일부로 소를 죽였기 때문이다.

문명은 진보하는가? 엘리자베스 핀치는 우리에게 그 질문을 하는 것을 좋아했다. 물론 의학·과학·기술이라는 면에서는 진보한다. 하지만 인간적·도덕적인 면에서는? 철학의 면에서는? 진지성의 면에서는? 서기 400년, EF가 우리에게 말한 바로는, 잉글랜드 공주 성 우르술라가 동정녀 만 천 명과 함께 신에 대한 사랑과 천국의 희망을 이유로 쾰른 외곽에서 학살당했다. 물론 수의 계산에는 착오가 있겠지만, 그게 중요한 것은 아니다. 프랑스에서 이 순교자들은 '동정녀 만 천 명Les onze mille vierges'이라고 알려져 있다. 1500년 뒤 시인 아폴리네르는 『음경 만 천 개Les onze mille verges』라는 제목—모음 하나가 빠지면 뜻이 이렇게 바뀐다—의 외설적인 소설을 썼는데 여기에서도 매질·참수 등 여러 사디즘적 성행위로 쾰른 성벽 밑에서 흐른 것에 필적할 만큼 많은 피가 흐른다.

나는 백일몽을 꾸고 있었다. 나는 병원에 있다. 크리스마스다. 병원 면회객 한 사람이 내 병상을 향해 다가왔다. 나는 그녀를 보고 놀랐다, 검은 브로그에서 미장원에서 다듬은 잿빛 섞인 금빛 머리까지. 그녀는, 내가 보기에, 나를 보고 놀라지 않는 것 같았다. 그녀는 우리가 마주 볼 수 있도록 의자를 돌렸다. 손을 내밀어 내 손 옆에 펼쳐놓았다.

　"어때요?" 그녀의 목소리는 간절하지만 비꼼이 섞여 있었다. "실망스럽나요?"

　그러다가 꿈에서처럼 그녀는 사라졌다. 나는 그녀가 죽었다는 것을 알지만 그녀의 질문은 살아 있었다. 그녀의 질문이 무엇을 가리킨 건지는 잘 모르겠지만. 내 인생? 내가 죽어가는 것? 죽음 자체? 어느 것이든 이런 책략은 EF의 고전적인 방식이었다. 그녀는 감질날 정도로 쉬운 질문을 던졌는데, 그 질문을 들은 사람은 쭉 이어지는 생각의 열차를 타게 되었다, 혼자서. 내 죽음에 관해서 말하자면, 내가 EF 자신은 말할 것도 없고, '배교자' 율리아누스, 몽테뉴를 비롯해 내가 읽은 많은 사람이 보여준 경멸에 가까운 무관심으로 죽음을 맞이할 수 없다는 건, 내 생각으로는, 실망스러운 일이었다. 내가 죽어가는 것에 관해서 말하자면, 그게 거쳐야 하는 과정에 불과한 것으로 보였기 때문에 실망하고 있었던 것 같다. 통증, 통증의 완화, 권태, 직업상 동정심을 베푸는 사람들에게 둘러싸여 있기는 하지만 그럼에도 느낄 수밖에 없는 외로움. 또 유명한—하다못해 흥미로운—마지막 말을 남기는 일은 까마득하게 느껴졌다. 내 인생에 관해 말하자면, 그게 실망스러웠던가? 그렇든 아니든, 지금 와서 무슨 상관인가? 나는 마지막 심판을 받을 것도 아니었고, 죽음 이론가들은 죽어가는 사람이 자신이 살아온 것과 화해하고 "자신의 이야기를 이해"하는 것이 좋다고 주장하지만 나는 그럴 필요를 느끼지 못했다. '미완성 프로젝트의 왕'은 그 프로젝트는 시작도 하지 않고 떠나고 있었다. 물론 내 모든 프로젝트가 실패는 아니었다. 나는 엘리자베스 핀치는 제대로 추모했다. 만일 내가 고대인들처럼 꿈과 징조를 믿었다면 그녀의 방문을 감사의 표시, 내가 그녀를 기쁘게 했다는 암시라고 결론 내렸을지도 모른다.

하지만 나는 이제 자기만족에 빠질 위험에 처해 있었다. 그래서 백일몽을 빠져나와 내 남은 생으로 돌아갔다.

마음과는 달리 나는 계속 '배교자' 율리아누스에 관해 읽고 있었다. 어떤 면에서는 EF를 떠나보내지 못하듯이 그를 떠나보낼 수가 없었다. 하지만 여기에도 안 좋은 점이 있다는 것을 알았다. 내가 쓴 것이 다 맞지는 않는다는 것. 하지만 처음 쓴 걸 고치는 대신 다음과 같은 부록을 추가했다.

–그는 처음에는 '배교자 율리아누스'라고 일컬어지지 않았다. 초대 기독교 저자들은 그를 그냥 '배교자'라고 불렀는데 이것은 사탄을 가리키는 몇 가지 표현 중 하나였다. 그들은 율리아누스를 악마의 화신으로 간주했다. 나중에 가서야 '배교자 율리아누스'라는 명칭이 생기게 되었는데, 이렇게 하니 그의 중요한 죄가 기독교를 거부한 것처럼 보이게 되었다.

–나는 율리아누스가 '기독교의 창'에 죽었다는 이야기가 기독교 선전 담당자들이 꾸며낸 것이라고 생각했다. 그러나 그렇지 않았다. 그런 표현을 처음 사용한 사람은 율리아누스의 친구이자 전기 작가인 리바니우스였다. 놀랄 일도 아니지만 기독교 저자들은 그 뒤로 이 표현을 열광적으로 채택했다.

–또 하나의 실수, 또는 아무 생각 없이 잘못 표현한 점. 나는 율리아누스가 "「턱수염 혐오자」라는 풍자문을 지어 발표했다"라고 말했는데, 이때는 두 번째 동사가 당시 무슨 의미였는지 생각해 보지 않았다. 황제가 그것을 널리 배포한다든가 하는 행동을 했고 안티오크가 황제의 공격에 움찔했다고 상상하고 있었다. 그러나 '발표'란 단지 그 텍스트를 궁전 바로 밖의 '코끼리 아치'에

내걸어 '모두 읽고 필사'할 수 있게 하는 것뿐이었다. 몇 명이나 읽고 필사했을까, 알 수 없다―어쨌든 황제와 군대는 곧 그 도시를 떠났다. 율리아누스가 주로 자신과 친구들의 만족을 위해 그것을 썼을 가능성도 있다. 이런 면에서 이 풍자문은 "실제로 입으로 전달하지 않고 그럴 의도도 없었던 고대 말기의 가짜 연설"과 닮았다.

―나는 기독교를 (EF가 그랬던 것처럼) 일신교로 언급해 왔다. 사실 지금 우리는 그렇게 생각한다. 하지만 그리스 문화 계승자들은 **기독교**를 다신교로 간주했다. 거기에는 삼위일체 하느님―아버지, 아들, 성령―이 있기 때문이다. 이런 관점은 17세기 잉글랜드에서도 살아남았다. '율리아누스' 존슨이 로마가톨릭교가 '다신교'라는 이유로 거부한 것을 보라.

―성 메르쿠리우스와 성 바실리우스가 형이상학적 힘을 합쳤다는 이야기는 "훗날의 기독교가 꾸며낸 것"으로 밝혀진다. 나아가서, 내가 발견한 바로는, 메르쿠리우스 자신이 "초대 기독교 순교자 대부분과 마찬가지로" 존재하지도 않았다.

여기에서 우리는 중요한 지점에 이른다. 나는 구원이라는 엄청난 메시지가 담긴 그 멋진 신화와 순교 이야기들이 전해지는 과정에서 틀림없이 '다듬어지기는' 했지만 그래도 최초의 훨씬 엉성한 사실에 뿌리를 두고 있기는 하다고 늘 본능적으로(또는 게으르게) 믿었던 것 같다. 폭력적 순교를 그린 위대한 그림을 보면 실제로 일어났던 일의 재현이라고 믿을 수밖에 없다. 그러나 『기독교 순교자 행전』 같은 그 모든 거룩한 편찬물과 그 뒤에 나온 삽화는 '진짜 전기'보다는 교육을 위한 허구에 불과하다. 현재 학자들의 의견은 그 유명한 순교자들 가운데 실제로 존재한 사람은 거의 없을 뿐 아니라 실제로 순교 자체가 매우 적었다는 것이다. 물론 많은 기독교인이 '단지' 기독교인이라는(또 법정에서 자신의 신앙을 부인하지 않는다는) 이유로 죽임을 당했지만, 그렇다 해도 그 수는 전에 생각했던 것보다는 훨씬 적다. "냉정한 계산"에서 나온 결론은 기독교 시대의 첫 300년 동안 "로마제국이라는 세속 권력에 처형당한 기독교인은 최소 2천 명에서 최대 만 명"이었다는 것이다. (그런데 성 우르술라의 만 천 명이라니!) 천국으로 가는 빠른 길이라는 확고부동한 믿음에서 기꺼이 죽음을 원한 사람들의 수에 관해 말하자면, "교부들조차 자발적 순교 사례를 하나나 둘 이상 내놓을 수 없다."

추가로. 이교도가 기독교인을, 기독교도가 이교도를 서로 보복하는 관계 속에서 계속해서, 주고받는 식으로 죽였다고 우리는 생각한다(적어도 나는 그렇게 생각했다). 맞는 생각이기는 하지만, 이것은 신앙이 다른 기독교인 사이의 폭력에 비하면 사소한 일이었다. (작은 차이의 나르시시즘.) 암미아누스가 말했듯이 그들은 자기들끼리 다툴 때는 "들짐승들처럼" 싸우곤 했다. 기번은 심술궂게도 "이교도 지배 300년 동안 처형당한 기독교인보다 기독교 제국 한 해 동안에 죽임을 당한 기독교인이 더 많다는 것은 신학적 엄밀함의 중요성을 일깨워 주는 유익한 자료"라고 썼다.

이 모든 것에 처음에는 낙심했음을 고백한다. 하지만 이것을 받아들인 뒤 두 가지 결론을 내렸다. 첫째, 신학자들은 훌륭한 소설가도 될 수 있다. 둘째로, 종교로 존재하려면 자기 역사를 잘못 알아야 한다. 나는 또 성 우르술라의 그 뒤의 삶에 관해서도 더 알게 되었다. 12세기 초 쾰른은 옛 도시의 성벽 너머로까지 넓어졌는데, 이때 땅을 파는 과정에서 엄청난 해골이 묻혀 있는 거대한 매장지가 드러났다. 이 도시는 이미 순례의 목적지 역할을 하고 있었는데, 이제 고고학(너무 앞서 나간 표현이기는 하지만)이 종교적 역사를 아름답게 확인해 주었다. 게다가 비둘기 한 마리가 기적적으로 그 지역 주교에게 어느 것이 성자의 유해인지 정확히 가리켜주었다. 수많은 유골과 머리뼈 600개가 특별히 건설된 성 우르술라 교회로 옮겨졌다. 이 위로가 되는 증거—알프스산맥 북쪽에서 가장 큰 매장지—는 수백 년 동안 기독교 관광업의 중심이 되었다. 그러나 안타깝게도 DNA 검사의 시대가 왔을 때 이 뼈들은 약 2천 년이 된 것으로 드러났고, 따라서 이 유적은 옛 로마의 매장지라는 게 다수의 의견이 되었다. 그러나 방문객들은 낙담하지 않고 여전히 순례자처럼 이 가짜 유물을 보러 온다.

EF의 주소록에서 안나의 이름을 발견하고 깜짝 놀랐다. 그녀는 그때 점심에 불청객으로 찾아오고 나서 오래되지 않아 나와는 연락이 끊겼다. 의도적이었든 아니든 그게 마지막 도발인 것처럼 보였다. 하지만 오래전 일이었다. 언제인가 그녀는 네덜란드로 돌아갔다. 주소록에는 알크마르 어딘가의 주소가 적혀 있었다. 나는 내 미슐랭 그린 가이드에서 그곳을 찾아보았다. 네덜란드의 치즈 수도. 화물 계량소. 운하, 오래된 집, 미술관. 뭐 어때, 나는 생각했다.

이메일 주소는 없었다, 당연히. EF가 인터넷을 철도에 빗대던 게 기억났다. 내재적인 도덕적 가치나 효과가 없이 현혹하기만 하는 편리성. 그래서 나는 안나에게 구식 편지를 썼다. 정말 뜻밖에도 그녀의 이름을 EF의 주소록에서 보았고(어쩌다 그렇게 되었는지는 그녀 스스로 궁리해 보게 놓아두고),

암스테르담 여행 계획을 세우고 있는데 어쩌면 버스나 기차를 타고 알크마르에 갈 수도 있다. 점심을 먹고, EF를 기억하며 그림도 몇 점 보고, 치즈도 좀 사고…… 안 되면, 뭐 혹시 나중에 그녀가 런던에 올 때 봐도 되고. 나는 건조한 목소리를 유지했다. 그녀가 나 때문에 짜증을 내곤 하던 것을 기억했다. 내가 밀어붙이거나 이기적으로 굴고 있다고 생각하면 짜증을 냈지만 내가 망설이거나 미온적이라고 생각할 때도 똑같이 짜증을 냈다. 안나에게는 내가 고요한 중심이 없고, 따라서 본능적인 도덕 탐지 장치가 없는 것처럼 보였다. 뭐, 그것도 나를 읽는 방법의 하나였다. 나는 서명 밑에 내 이메일 주소를 적었다.

안나는 안나인지라 거의 내가 희망을 버릴 때까지 움직이지 않았다. 그러다 이메일 한 통. 9월의 어느 목요일이든 미술관 입구에서 1시에 만날 수 있다. 요일이나 시간 선택에 대한 설명은 없었다. "다시 보면 좋을 것 같아"도 없었다. 받아들이거나 포기해라, 지금 아니면 다시 기회는 없다. 그래서 나도 보복으로 그녀를 기다리게 하기로 마음먹고 그달의 마지막 목요일을 골랐다.

런던에서 브뤼셀을 거쳐 암스테르담까지. 나는 늘 긴 기차 여행을 즐긴다. 무슨 음식을 먹을지, 무슨 책을 읽을지 생각하는 것을 좋아한다. 그리고 이번에는 아주 적절한 책을 골 랐다고 생각했다.

나는 율리아누스의 사후 명성이 근대에 이르렀을 때 조사 를 거의 그만두었다. 이제 '배교자'는 넓은 문화적 쟁점의 시 금석이라기보다는 개인적 반응의 문제가 되었다. 솔직히 말 하면 물론 다시 익숙한 자료를 훑고 다녀야 한다고 생각하자 지겨워지기도 했다. 그래서 로버트 브라우닝의 1976년 율리 아누스 전기를 읽고 나자 드미트리 메레시콥스키의 소설("표 현이 과장되고 플롯이 혼란스러우며…… 율리아누스에 대한 우리 의 이해에 전혀 보탬이 되지 않는다")을 읽을 마음이 확실하게 사라졌다. "무대에 올리기에는 너무 길고, 대단히 비타협적 인 고전 그리스어로 쓰였기 때문에 읽는 데도 특별한 노력이 요구되는" 클레온 랑가비스의 "거대한 비극"—1500행의 산 문과 9천 행의 운문—도 마찬가지였다. '배교자'가 두 오페 라, 오스트리아의 지휘자 겸 작곡가 펠릭스 바인가르트너의 오페라(1928)와 러시아인 라자레 사민스키의 오페라(1930년 대에 작곡했지만 1959년에 발표)의 제재가 되었다는 것을 알고 관심을 가졌다. 하지만 두 오페라 모두 공연되기는커녕 녹음 도 되지 않았다는 것을 알고도 낙담하거나 하지는 않았다.

그렇기는 해도 이따금 거의 노스탤지어에 젖어 내가 아직 읽지 않은 것들의 서지라고 부르는 것을 훑어보곤 했다. 그러다가 우연히 미셸 뷔토르의 『변경』(1957)을 발견했는데 이것은 주목할 만한 누보로망 생산물이었다. 영어 제목인 『선로 변경』이 암시하듯이 이 소설은 모든 일이 기차에서 일어난다. 정확히 말하면 기차들에서. 런던에서 암스테르담으로 가는 기차가 아니라─그건 이 책에 너무 많은 걸 요구하는 것이다─파리에서 로마로, 또 역방향으로 가는 기차. 주요 인물은 타자기 제조업체의 고위 관리자인 레옹 델몽인데, 그는 지리적으로 또 감정적으로 파리에 있는 아내를 비롯한 가족과 로마에 있는 연인 사이를 오가고 있다. 이 소설은 두 도시 사이를 오가는 다양한 기차에 앉은 델몽의 기억과 기대, 상상과 의심으로 이루어져 있다. 이 소설이 2인칭으로 쓰였다는 점도 덧붙여야 할 텐데, 어떤 사람들은 이게 짜증스럽다고 여길지도 모른다.

이 책은 배교 연구자들에게는 기분 좋게 출발한다.

p. 14. 파리에서 출발하는 이른 아침 기차는 텅 빈 보도와 닫힌 상점들, 소르본 교회, '배교자 율리아누스 목욕탕'이라고 알려진 폐허─아마 황제가 태어나기 전에 지어졌을 테지만─를 지나간다. 실제로 나의 낡은 『베데커 파리 안내서』(1911)를 보면 이 유적지가 292년에서 306년 사이에 황제 콘

스탄티우스 클로루스가 건설한 궁의 잔재이며 "360년에 율리아누스가 병사들에 의해 황제로 선포된" 곳이라고 확인해 준다.

p. 61. 화자는 "일부러 관광객처럼 생제르맹 대로를 따라" 걸어가다…… "그 벽돌과 돌로 이루어진 벽, '배교자 율리아누스'가 보았던 목욕탕의 잔재"를 지나갔던 일을 기억한다. 이것은 그가 "'사랑하던 루테티아'*에서 유일하게 중요한 유적이며, 이 점이 이 유적에 그의 이름을 붙이는 것을 더욱 정당화해 준다."

p. 81. 전개가 숨 가빠진다. 화자는 이제 로마를 떠나 파리로 간다. "너는 네 칸에 자리를 잡고…… 『배교자 율리아누스의 편지』에 빠져든다."

물론 이제 독자는 타자기 회사 관리자와 로마 황제 사이의 연관성이 궁금해지기 시작할 것이다. 한 가지 생각이 떠오른다. 혹시 유부남이 처자식을 버리고 연인과 달아나는 것도 일종의 배교일까? 그리고 델몽 가족은 가톨릭이다. 율리아누스의 편지에는 주요 플롯에 대응할 만한, 또는 영향을 줄 만한 내용이 들어 있을까?

---

* 고대 로마에서 파리를 부르던 이름.

p. 168. 다른 열차에서(그렇게 보인다). "너는 선반에 두었던 『배교자 율리아누스』를 다시 집어 들지만 손에 들고 있을 뿐 펼치지는 않고, 이따금 희미하게 모래 냄새가 섞인 서늘한 바람이 들어오는 열린 창을 내다본다……."

어떤 독자들은 이런 긴장을 감당하기 힘들다고 생각할지도 모르겠다. 계시는 언제 나타나는가? 이제 60페이지밖에 남지 않았는데.

p. 169. **"아직 다 읽지 못한 『율리아누스의 편지』를 펼치지 않은 채로 무릎 위에 들고 있다."** 격분하여 이렇게 굵은 글자를 쓴 사람은 나다. 어쩌면 뷔토르는 그저 우리를 약 올리고 있을 뿐(누보로망에는 놀이의 측면이 있다), 모든 것은 죽을 때 드러날지도 모른다.

p. 208. 이제 시간이 줄어들고 있다. "너는 혼자 율리아누스 황제의 편지를 손에 든 채 제노바 교외를 떠났다." 생각하라, 생각하라. 두 사람 사이에는 어떤 연관이 있는 게 틀림없다. 혹시 파리의 간통자와 순결한 율리아누스, 안티오크의 환락가를 더러워지지 않은 채 통과하고 페르시아 원정에서 얻은 아름다운 여성 포로들을 무시한 율리아누스의 대조가 그 관련일까? 그렇다고 뷔토르가 황제의 사생활을 언급한다는 것은 아니지만. 사실 자신에 관해서도 아무런 언급이 없지만.

p. 215. "여행 가방을 [로마 호텔방의] 탁자에 내려놓고 **뷔데판 『아이네이스』 1권을 꺼냈다.**" 이제 장난을 넘어섰다. 저자의 오만, 나라면 그렇게 부르겠다.

p. 225. "[파리 아파트의] 창가에 앉아 책꽂이에서 '배교자 율리아누스'의 편지를 뽑았을 때 앙리에트[너의 아내]가 들어와 집에서 저녁을 먹겠느냐고 물었다." 하지만 너는 기차에서 먹는 게 좋다. 그리고 여기에서 반복이 일어난다.

p. 225. 칠흑처럼 깜깜하고 비가 오기 때문에 택시를 타고 역으로 간다. 택시는 "파리 황제의 이름이 붙은, 폐허가 된 궁의 모퉁이를 돌았다".

그리고 그것으로 끝이다, 율리아누스라는 맥락에서는. 그리고 그것으로 사실 끝이었다, 나의 맥락에서도. 몇 페이지 뒤에 독자는 화자—너—가 자신의(너의) 감정적 딜레마를 이해하기 위해 그것에 관한 소설을 쓸 계획을 세운다는 것을 알게 된다. 그래서 어떻게 될까? 독자가 방금 읽은 소설이 이 타자기 회사 관리자(역시 너)가 쓴 것으로 드러난다!

내가 율리아누스의 사후 삶과 보낸 시간이 그렇게 디미누엔도*로 끝나는 것은 적당해 보였다. 그리고 내가 엘리자베

---

* 점점 여리게라는 뜻의 음악 용어.

스 핀치와 보낸 시간도 끝이 다가오고 있었다. 다갈색과 진한 갈색이 주조를 이루는 EF의 웨스트 런던 아파트에서 크리스토퍼를 만난 때로부터, 그녀의 책상을 쑤석거리며 그녀가 미완의 걸작을 남겼고 내가 그것을 관리해야 한다고 소설처럼 상상하던 때로부터 먼 길을 왔다는 느낌이었다. 그녀는 나에게 훨씬 현실적이고 훨씬 손에 잡히지 않는 뭔가를 남겼다. 내가 좇아야 할 구상. 그것을 옳게 좇았는지, 나는 알 수 없다—오직 그녀만이 알겠지.

나는 암스테르담에서 이틀을 보낸 뒤 아침나절 열차를 타고 알크마르로 갔다. 도심에서 약간 벗어난 호텔을 예약해 두었다. 나는 미술관으로 걸어가며, 흥분한 것처럼 보일 만큼 일찍 도착하거나 짜증 나게 할 만큼 늦게 도착하지 않으려고 노력했다. 물론 안나에게는 내가 정각에 도착하는 것도 짜증나는 일이 될 수 있었지만. 그녀는 마치 나를 패러디하듯이 나와 같은 시간에 나타났다. 나는 이곳은 유럽이니 그녀의 뺨에 키스해도 문제는 없을 거라고 느꼈다.

"둘 다 희끗희끗해졌네." 내가 말했다.

"너보다는 나한테 잘 어울려. 그리고 나는 희끗희끗해지는 걸 선택한 거야." 하지만 그녀는 반쯤 미소 짓고 있었고, 그래서 나는 웃음을 터뜨렸다.

카에사르 판 에베르딩겐—'알카마르의 렘브란트'라고 알려져 있는—의 특별전이 열리고 있었다. 전시 작품에는 도시의 민병대를 그린 거대한 그림 몇 점, 금붕어를 쥔 귀여운 두 살배기의 초상(놀랍게도 반즐리*에서 대여한 것이었다), 당대 그 지역을 배경으로 '정직한 사람을 찾는 디오게네스'를 그린 도덕적 그림, 노예 둘을 데리고 있는 네덜란드 동인도회사 상인의 초상 등이 포함되어 있었다. 알카마르에 오기 전 카탈로그를 한 부 주문해 두었기 때문에 모두 나에게 익숙한 이미지들이었다. 우리는 탐색이 부질없는 짓임을 강조하기 위해 환한 대낮임에도 랜턴을 들고 있는 견유학파 디오게네스 앞에 서 있었다. 그림에는 이 철학자의 검박한 식단을 알려주기 위해 무가 가득한 외바퀴 손수레가 들어가 있고, 심지어 전경의 개도 철학자를 암시하고 있었다. 그리스어로 개는 쿠온kuon인데, 여기에서 "견유학파Cynic"라는 말이 유래했기 때문이다. 안나는 나의 그런 예상치 못한 지식을 수상쩍게 여겼지만 캐묻지는 않았다. 나는 수레 가득한 무를 가리키며 말했다.

"엘리자베스 핀치는 견유학파는 되지 않았을 게 분명해."

---

* 잉글랜드 북부의 도시.

"그냥 그림이나 보는 게 어때?"

"내가 이걸 아는 건 카탈로그를 영국에서 받아 봤기 때문이야."

"오, 너는 정말 **가망 없어.**" 안나가 부루퉁하게 대꾸했다. 어떤 형태든 교활한 쪽으로는 가망 없다, 그런 뜻으로 나는 받아들였다. 그건 사실이었다. 나는 EF를 언급함으로써 이미 내 패를 보여주었다. 머리 고치는 의사라면 지적할지도 모르지만, 어쩌면 나의 교활함은 교활해 보이지 않는 데 있는지도 몰랐다. 가망 없는 게 내가 꾀를 쓰는 방식이었다.

　우리는 그림을 보았다.

　사람들은 말한다—아니, "사람들은 말한다"고들 한다—"절대 돌아가지 말라"고, 안 그런가? 놓친 사랑, 반쯤 잊은 사랑, 오해가 얽힌 사랑을 세월이 지나 좇지 마라, 처음에 잘못되었으면 두 번째도 잘못된다 등등. 하지만 나는 '돌아가는' 게 아니었다, 그런 의미로는(어쨌든 내가 아는 한에서는). 나에게는 다른 목적이 있었다. 그래서 햇빛이 내리비치는 자갈 깔린 광장에서 강렬한 녹은 치즈와 와인 잔을 놓고 앉았을 때 우리가 함께 있는 게 편하다고 느꼈다. 안나는 번역가로 일하고 있었다. 알크마르에 온 지 6년이 되었는데 암스테르담에서 옮겨 온 이유는 알 수 없었다. 결혼반지는 끼지 않았다. 묻지 않았다. 내 인생 이야기만 했다. 두 번째 이혼, 아이들은 뭘 하는지. 그녀는 추임새를 넣거나 질문을 많이 던지는 법이 없었지만 내 앞에서 긴장을 푼 것처럼 보였다. 우리는 카에사르 판 에베르딩겐 이야기를 좀 더 하기도 했고, 브렉시트 투표를 한탄하기도 했다.

"엘리자베스 핀치 이야기를 쓸 생각을 하고 있어. 경의를 표시하는 방법의 하나로. 지금도 보고 싶어."

그녀는 내가 반쯤 예상하던 것과는 달리 "그럴 줄 알았어"라거나, 심지어, 내가 두려워했던 말, "하지만 너는 못 써"라거나 하는 말을 던지지 않았다. 그냥 고개를 끄덕이며 "나도" 하고 말했다. 자기도 쓰고 싶다는 게 아니라 보고 싶다는 거였다.

처음에 우리는 그냥 그녀를 떠올리기만 했다. 옷, 차분함, 위트, 엄격함. 교과과정에 따라서든 거기서 벗어나서든(이쪽이 더 많았지만) 우리에게 가르친 것. 우리에게 남은 것.

"우르술라와 동정녀 만 천 명." 내가 말했다.

"경찰관을 이용한 자살." 그녀는 즉시 답했고 우리는 따뜻하게 웃음을 터뜨렸고 서로 바로 보며 세월이 준 피해를 가늠해 보았다.

"배교자 율리아누스." 내가 말을 꺼냈다.

"그 사람은 기억나지 않는데."

"마지막 이교도 황제야. 선생님은 그의 죽음을 '역사가 잘못된 길로 접어든 순간'이라고 불렀지."

"들었다면 나도 틀림없이 기억했을 거야. 나는 섹스는 멋지고 원죄는 쓰레기 같은 생각이라고 말한 다른 줄리언*만 기억나."

나는 이것이 매우 네덜란드인답다고 생각했다.

"흠. 사실 네 말이 맞을지도 몰라—어쩌면 그건 선생님 공책에 있었던 말일 수도 있어. 내가 가끔 기억과 조사 결과를 혼동하거든." 나는 율리아누스에 관해 약간 이야기해 주었다. 그러나 EF에 관해서 쓰는 건지 율리아누스에 관해서 쓰는 건지 잘 모르겠다는 느낌이 든다는 말은 하지 않았다.

"'망신 주기'라고 부르는 사건이 벌어졌을 때도 잉글랜드에 있었어?"

안나는 그때는 떠나고 없었다. 그러나 EF와는 여전히 연락을 이어갔는데, EF는 물론 안나에게 보내는 편지에서는 그 사건을 전혀 언급하지 않았다. 나는 그 사건을 자세히 이야

---

* 영국의 생물학자이자 유전학자인 Julian Huxley(1887-1975)를 가리키는 것으로 보인다.

기해 주었고 안나는 열중해서 귀를 기울였다.

"역겹네." 그녀가 말했다. "너희 좆같은 영국 신문들."

"그래. 하지만 그렇다고 해서 그 결과로 선생님이 작업을 그만두었다고 말하는 건 아니야. 강의하고 서평 쓰는 건 물론 그만두었지만."

"출판하려고 계획하시던 게 있었어?"

"그렇진 않아." 나는 사라진 공책과 내 추측에 관해 말해주었다. "아마 소설을 쓰려고 하셨던 건지도 몰라." 나는 말을 맺었다.

"그건 아니라고 보는데."

"그래, 네 말이 맞아." 어떻게 예비 단계를 통과해야 할지 알 수가 없었다. 그냥 뛰어들어, 나는 속으로 말했다.

"몇 가지 질문 좀 해도 괜찮을까?"

"해."

"좋아, 가능성이 작기는 하지만, 혹시 선생님이 두 줄 단추가 달린 외투를 입은 남자 이야기를 한 적 있어?"

안나는 웃음을 터뜨렸다. "꼭 셜록 홈스 같네." 나는 그게 마음에 들었다. 그렇게 놀림을 당하는 게 마음에 들었다. 그 걸로 우리는 과거로 돌아갔다. 우리는 수업에 관해, 또 누가 기억나는지, 누구를 좋아했고 싫어했는지 이야기했다.

"선생님은 우리한테 아주 친절하셨지." 내가 말했다. "린다 기억나?"

"그럼." 안나의 얼굴색이 약간 변하는 것 같았다.

"린다는 늘 그 애 표현으로 마음의 문제가 있었어. 린다가 그 문제로 EF와 상담을 해야 할지 나한테 물어보던 게 기억나. 나는 그러지 말라고 했지만 린다는 그냥 그렇게 했어. 그랬더니 EF는 그 애한테 이런 멋진 말을 해주었어. '그게 가장 중요한 거예요. 그게 유일한 거죠.'" 나는 그렇게 인용했는데 아마 약간 으스대는 표정이었을 것이다.

"너는 정말 멍청바보야." 안나가 부루퉁하게 말했다. "그 점에서는 하나도 안 변했네, 응? 린다, 가엾은 린다는 네 문제로 EF와, 네 표현대로 상담을 했던 거야."

"나? 씨발. 왜…… 왜 린다가 나한테 말하지 않았을까? 왜 아무도 나한테 말하지 않았어?" 나는 '멍청바보'란 말도 생각하고 있었고, 그 조어가 마음에 들었다. "이런 씨발." 나는 되풀이했다. "그걸 소화하려면 시간이 좀 걸리겠는데."

"뭐, 네 여생 동안 해도 돼." 안나는 말했고, 그게 내 귀에는 무정하게 들렸다.

나는 달리 할 말을 찾을 수가 없어서 말했다. "나중에 이야기를 계속할 수 있을까? 저녁 먹으면서? 오늘은 여기서 자고 가거든."

"물론이지." 그녀가 말했다. "점심은 내가 살게. 저녁은 네가 사."

그녀의 목소리가 약간 의기양양하게 느껴졌다.

나는 호텔 방으로 돌아가 침대에 누웠다. 나는 남자들과 여자들을 생각했다. 그들 가운데 어떤 사람들은 말하자면 층계형 출입구*를 넘는 걸 늘 도와줘야 한다는 생각.

주문하고 나서 공책을 꺼내고 볼펜도 꺼내려고 재킷에 손을 넣었을 때 그녀가 말했다. "아니, 그건 원치 않아."

"하지만—"

"그건 그분을 죽게 해."

"하지만—"

"나는 그분에 관해 너한테 이야기하겠다고 했어. 그건 할 거야. 하지만 그걸 내 앞에서 다 적으면 나는 꼭…… 배신자가 된 기분일 거야. 이해해?" 나는 이해하지 못했지만 고개를 끄덕였다. "그건 그분을 죽게 해." 그녀가 되풀이했다. "그리고 나는 그걸 원치 않아. 그리고 그분이 나한테 허락을 한

* 들판의 울타리나 문 등을 사람만 넘을 수 있고 가축은 못 다니게 만든 층계.

것도 아니야. 어쨌든, 중요한 건 다 네 기억에 남을 거야."

나는 그녀가 더 설명해 주기를, 또는 심지어 마음이 바뀌기를 바라며 입을 다물었다. 하지만 그녀는 그냥 내 공책을 가리키기만 했기 때문에 나는 그걸 치웠다.

그다음에 이어진 이야기로 안나가 EF를 나보다 잘 안다는 게 분명해졌다. 적어도 사적이고 내밀한 영역에서는. 그건 논란의 여지가 없었다. 하지만 부러운 마음이 생기는 건 어쩔 수 없었다.

"너도 그분이 어땠는지 알잖아." 안나가 입을 열었다. "완전한 솔직함과 갑작스러운 감춤이 섞여 있었지. 또, 완전한 공감과 이따금 나타나는 거리감. 그분은 내 평생 이야기를 나누어본 다른 어떤 여자하고도 완전히 달랐어. 대부분의 여자는 '우리가 어떻게 만났나' 하는 이야기를 해"—그녀는 공중에 따옴표를 찍었다—"그리고 '뭐가 잘못됐나' 또 '어떻게 끝났나' 또 '내가 그 모든 것에서 뭘 배웠나.' 그걸 비난하는 게 아냐. 나도 그러니까. 내 인생을 하나의 이야기로 만들지. 우리 모두 그래. 그런데 EF는 그런 식이 아니었어. 결론은 주지만 서사는 주지 않았어. 왜? 뻔하고 일반적인 이유는 프라이버시, 신중함 그런 이유겠지. 하지만 나는 어쩌면 이건 그보다 큰 걸 수도 있겠다고 판단했어. 인생은, 우리가 아무리 그렇게 되기를 바라더라도, 서사에는 이르지 못한다는 느낌—또는 우리가 이해하고 기대하는 서사에는 미치지 못한다는 느낌."

나는 나보다 똑똑하거나 명석한 여자들의 말을 듣는 걸 사랑한다. 그리고 그녀의 이야기 때문에 안나와 내가 함께했던 그 해가 떠오르기도 했다. 하지만 그건 현재 이 순간에는 도움이 되지 않았다.

"그래서, 음, 그런 예를 하나 들어줄 수 있을까?"

"한번은 나한테 이랬어. '나는 인생에서 이를 수 없는 것이나 바랄 수 없는 것 전문이었던 것 같아요.'"

EF의 목소리가 크고 분명하게 들리는 듯했기 때문에 저절로 미소가 번졌다.

"구체적으로 밝힌 게 있어? 이름이라든가?"

"기다려. 또 다른 게 있는데, 이건 늘 내 머리에 달라붙어 있는 거야. 그때 적어놓았어." 그녀는 가방에서 접은 종이를 꺼냈다. "'사랑은 늘 본능적인 것과 이론적인 것의 혼합이에요. 물론 우리는 이론적인 건 본능적인 것만큼 인식하지 못하죠. 그게 역사와 친족관계에 너무 깊이 뿌리를 내리고 있기 때문에. 하지만 그것 때문에 사랑은 본질적으로 인위적인 거예요. 물론 나는 그 말을 가장 좋은 의미에서 사용하고 있어요. 그리고 우리가 로맨틱한 사랑이라고 부르는 건 가장 인위적인 거예요. 그래서 가장 높은 형태고, 또 가장 파괴적인 형태죠.'"

"저런." 나는 말했다. "내 결혼이 두 번 다 실패한 것도 놀랄 일이 아니로군."

"아." 안나는 대꾸했다. "사랑을 앞에 둔 영국인의 그 오래된 익살. 어찌나 기억이 선명한지. 남성의 익살, 내 말은."

"여자들은 나을 거라고 생각하는 거야? 사랑에?" 나는 내 성에 특별한 충성심은 없었지만 그녀의 확신 때문에 방어적이 되었다.

"물론이지. 우리는 더 본능적인 동시에 더 고결해."

나는 그 말에는 말려들지 않기로 했다. "그게 EF의 의견이기도 하다고 생각해?"

"잘 모르겠어."

"어쩌면 그분 인생에서 본능적인 것들은 바랄 수 없는 것이었고 고결한 것들은 이룰 수 없는 것이었는지도 모르지. 그 반대거나." 나는 두 줄 단추가 달린 외투를 입은 남자가 고결한 부류였을 거라고 상상했다.

"그래서," 나는 말했다. "진부한 질문처럼 들릴 수도 있겠지만, 그분이 행복했던 적이 있다고 생각해?"

나는 안나가 흔해빠진 질문을 한다는 이유로 야단을 칠 거라고 반쯤 예상하고 있었다. 그러나 그러지 않았다.

"행복이 사랑의 자연스러운, 또는 심지어 바람직한 결과라고 그분이 믿었는지 잘 모르겠어. 그분은 사랑이 행복보다 진실의 문제였다고 믿은 것 같아. 한번은 이런 말을 한 게 기억나. '이제 사랑이 모두 과거에 속하게 되니 그걸 더 잘 이해하게 돼요, 그 선명함도 그 착란도.'"

나는 그 추상적인 표현 때문에 주춤했다. 어떻게 사랑을 구하면서 행복을 원하지 않을 수 있을까? 나는 구체적인 것들이 더 좋았다. "이름을 알려줄 수 있어?"

"이름은 전혀 몰랐어. 설사 안다 해도 너한테 말해줄지는 잘 모르겠어. 왜 지금 와서 그 사람들이 성가신 일을 겪어야 해? 늙은 사람들이 너 때문에 거짓이나마 행복한 추억을 망치게 되는 거잖아."

"실마리도 안 줘?"

"똥이 아닌데, 셜록."*

나는 미소를 지었다. 안나는 늘 엉뚱한 속어를 자신 있게 사용하는 버릇이 있었다. 또—유럽인이기 때문에—추상적

---

* 상대방이 대단한 발견을 했거나 반대로 뻔한 소리를 했을 때 사용하는 말.

인 것과 이론적인 것에 나보다 편안함을 느꼈다. 나는 EF가 우리에게 에픽테토스와 스토아학파의 사상을 살살 가르칠 때도 고생하던 기억이 났다.

"그분이 인용하곤 하던 말이 뭐더라, 우리가 어떻게 해볼 수 있는……."

"우리가 어떻게 해볼 수 있는 일이 있고 어떻게 해볼 수 없는 일이 있다."

"계속해 봐."

"우리는 그 둘을 구별하는 걸 배워야 하며 우리가 어떻게 해볼 수 없는 일은 어쩔 도리가 없다는 걸 깨달아야 하고.이것이 우리를 삶에 대한 올바른 철학적 이해로 이끈다는 것을 인식해야 한다."

"그럼 행복은?" 내가 물었다.

"스토아학파는 인생에 대한 올바른 이해가, 다른 덜 철학적인 사람들—너하고 나 같은 사람들—이 행복이라고 부르는 것일 수도 있다고 생각했던 것 같아."

우리가 같은 항에 묶이는 게 기분이 좋았다— 모자란 쪽이라 해도.

"따라서 이해가 최고선이네?"

"물론이지."

"좋아. 그럼 이 질문에 대답해 줘. 사랑은 우리가 어떻게 해볼 수 있는 거야, 어떻게 해볼 수 없는 거야? EF라면 뭐라고 말했을 것 같아?"

안나는 잠시 입을 다물었다. "그분이라면, 사람들은 대부분 어떻게 해볼 수 있다고 상상하지만 사실은 절대 어떻게 해볼 수 없는 거라고 말했을 것 같아."

"그럼 우리는 그걸 인정해야 하는 거네, 우리가 진정으로 철학적인 삶을 살고 싶다면. 그런 삶이란 게, 현실을 직시하자면, 사람들 대부분은 관심도 없는 거지만. 또 우리는 거기 헌신하기에는 이제 좀 늦었지만."

"그래."

"그런데 EF는 사랑이 우리가 어떻게 해볼 수 없는 거란 걸 인정했다?"

"물론이지."

"따라서 사랑이 이해만 가져올 수 있을 뿐 행복은 가져오지 못한다고 믿었고? 아니면, 아마도, 행복은 우연이지 필연이 아니라고?"

"닐, 너 아직도 철학자가 될 수 있을 것 같아."

"놀랄 거 없어. 술 때문일 뿐이니까."

"네덜란드 맥주는 뇌에 좋은 걸로 유명하지."

"그분이 혹시 레즈비언이었다고 생각해?"

"원래의 유형으로 돌아가 줘서 고마워. 잉글랜드인 유형으로."

"뭐, 내가 그걸 어쩌겠어? 어차피 나는 잉글랜드 사람인데."

"그럼 그거하고 맞서 싸우는 건?"

"녀는 레즈비언이었던 적이 있어?"

"좆도 좆같은 소리 집어치워." 그녀가 가볍게 대꾸했다. 그건 한 번도 안나가 부정확하게 사용한 적이 없는 표현 가운데 하나였다.

"나는 그저 사랑에 빠진 EF를 상상하려고 노력하고 있을 뿐이야."

"노력하지 마. 너한테는 그런 상상력이 없으니까."

"그러는 너는 있고?"

"어쩌면. 하지만 그건 나의 특별한 관심사는 아니야."

"레즈비언 관계가?"

"아니, 지금은 죽은 훌륭한 여자를 하찮게 만드는 사후의 뒷담화가."

"누군가를 이해하려고 노력하는 건 뒷담화하고는 완전히 다르다고 생각해."

"그렇다면 너를 행복한 무지의 상태에 남겨둘게."

이게 바로 예전에 우리의 말다툼이 시작하던 방식이었다. 하지만 나는 노스탤지어를 느끼는 것을 거부했다. 그저 예전과 똑같이 발끈 솟아오르는 것을 느끼며 피곤했을 뿐이다. 우리가 어떻게 해볼 수 있는 일이 몇 가지 있겠지만 안나는 거기 속하지 않았다. 그렇다 해도 나는 또 이게 삶의 이해나 철학적 행복으로 나를 이끌지 못할 것임을 알 수 있었다. 계몽의 길은 겉으로는 아무리 합리적으로 보여도 내게는 늘 미심쩍게 여겨졌다.

"그분이 언제 그 이야기를 했어?"

"무슨 얘기?"

"지나고 나니까 사랑을 더 잘 이해하게 된다는 얘기."

"돌아가시기 오륙 년 전에."

"그럼 그분이 우리를 가르치고 있을 때는 여전히 그 게임—이 표현 미안—을 하고 있었다고 가정할 수 있는 건가?"

"통과."

"그분이 너한테 보낸 편지를 읽어도 될까?"

"당연히 안 되지."

"커피하고 슈납스*?"

* 네덜란드의 진.

"좋지."

그렇게 우리는 우호의 균형을 회복했다. 아니, 내 쪽은 그 이상이었다. 나는 여전히 안나를 아주 좋아했다, 겉으로는 어떻게 보일지라도.

"EF를 생각할 때면 가끔 그분이 나한테 실망했을 거라는 느낌이 들어."

"어떤 면에서? 결국은 네가 그분에 대한 이…… 조사를 하고 있는 거잖아."

"글쎄, 그분이 이걸 좋다고 할지도 모르는 일이지. 아니, 그 이상이야, EF의 계속되는 존재감, 심지어 영향력에도 불구하고 나는 그냥 계속 늘 그랬던 대로, 과거와 똑같은 혼탁한 방식으로 인생을 살았어."

안나는 내 말을 진지하게 받아들였다. 그녀도 내가 그냥 입에서 나오는 대로 말하고 있는 게 아님을 알아보았기 때문이다.

"EF는 용서를 잘하는 사람이었어." 그녀가 말했다. "그렇게 기준이 높았으면서도."

"그래, 하지만 나는 **용서받고** 싶은 게 아니야, 알겠어?"

그녀는 탁자 위로 손을 뻗어 내 팔뚝을 토닥였다. "그래, 닐, 알아."

레스토랑 바깥에서는 조용한 네덜란드 비가 가볍게 흩뿌리고 있었다. 나는 그녀의 팔을 잡았다. "음, 고마워." 대답으로 그녀는 몸으로 내 어깨를 가볍게 밀었다, 마치 뭔가 말하려는…… 뭘?

그 몸짓에, 또 슈납스에 대담해진 나는 말했다. "우리가 함께 자지 못할 또는 자지 말아야 할 이유가 있어?"

"응." 그녀가 대답했다. "네가 방금 그 말을 한 방식이 이유야."

나는 웃음을 터뜨렸다. 말이 됐다. 아둔함이 젊음의 속성이기만 한 것은 아니다.

하지만 그녀는 불쾌하게 여기지는 않았다. 그녀는 자갈이 깔린 광장의 카페에서 내가 암스테르담으로 돌아가는 기차를 타기 전 함께 마지막 커피를 마시며 행복한 표정이었다.

"방금 기억이 났어." 그녀가 말했다. "EF가 얼마나 수영을 잘했는지."

"수영?"

"응, 수영. 잘했어." 안나는 짜증 나는 희미한 미소를 띠고 있었다, 나는 EF에 관해 네가 모르는 걸 알고 있어, 하고 말하는 것처럼. 아니, 말하는 "것처럼"이 아니라 말하고 있었다.

나는 그 장면을 그려보려 했으나 불가능했다.

"그러니까 브라이턴 해변에서?"

"아니, 생추어리에서."

"그게 뭔데?"

"수영장 겸 온천. 코번트 가든에—아, 지금은 닫은 지 몇 년 됐지만. 여성 전용. 여기로 돌아오기 전에 함께 한 달에 한 번씩 거기 갔어."

그 말에 나는 허를 찔린 느낌이었다. 갑자기, 약간은 부끄러운 기억이 떠올랐다. 처음 EF를 묘사할 때 나는 그녀가 맨다리를 드러낸 적이 없다고, 따라서 수영복을 입은 그녀는 상상도 할 수 없을 거라고 말했다.

"그래서…… EF의 수영복은 어떤 거였어?"

안나는 내놓고 웃음을 터뜨렸다. "뭐 비키니는 아니었지." 얼토당토않게도 그 말에 나는 안도감을 느꼈다. "하지만 내가 비밀을 알려주지, 닐. 어떤 여자들은 수영복이 한 벌만 있는 게 아니야."

"그래, 물론이지. 커피와 함께 슈납스도 한잔해야겠는걸."

유치했고, 또 우스꽝스러웠다. 나는 이미 EF의 사생활에 관해 안나가 나보다 많이 알지도 모른다는 걸 스스로 인정했다—음, 인정할 수밖에 없었다. 그런데 이 대목에서 질투심을 느끼고 있다니…… 수영에. 그리고 수영복에. 예전에 나는 부루퉁해지곤 했고 그러면 안나는 부루퉁해진 걸 갖고 나를 놀렸다. 하지만 나는 다시 그녀에게 그런 즐거움을 줄 생각이 없었다.

"그래도," 그녀가 밝은 표정으로 말했다. "정말로 EF에 관해 쓰려고 한다면 이면도 보여줘야 할 거야."

"무슨 이면?"

"오, 왜 이래." 그녀는 묻지도 않고 내 슈납스를 한 모금 마셨다.

"뭘 왜 이래?"

"네가 EF를 사랑했던 걸 잊지 마. 네 혼탁하고 어수선한 방식으로."

"그런 게 아니었어." 나는 항의했다. 이어, 도전적으로. "하지만 내가 EF를 사랑했던 건 사실이야. 너도 그랬잖아."

"다르지만 맞아. 그리고 나한테는 그게 문제가 안 돼."

"나는 되고?"

"오 그럼. 하지만 더 중요한 얘기는, 대상을 사랑한 사람이 쓴 전기를 너라면 신뢰하겠어?"

"**딱히** 전기는 아니야. 그리고 나는 그런 의미에서 EF를 사랑한 게 아니었고."

"좋아. 하지만 예를 들어 제프를 추적해 볼 생각은 했어?"

"제프? 그 진보적인 척하는 똥 무더기? 내가 씨발 왜 그걸 하고 싶어 하겠어?"

"이면."

"이면? 이면은, 내 기억으로는, 오직 제프로만 이루어져 있어."

"첫 수업 때 EF가 한 말 기억나? '나는 여러분 모두에게 최고의 선생은 아닐지도 모른다', 그런 거였어. EF는 너하고 나한테는 최고의 선생이었지. 하지만 어떤 애들한테는 그렇지 않았어. 그 애들은 더 전통적인 걸 바랐어. 날짜, 이름, 사실 더 폭넓은 생각으로 나아가는 모든 거. 날짜, 이름, 사실로 나아가는 더 폭넓은 생각이 아니라. 물론 그 애들도 처음에는 흥미를 느꼈지만 시간이 지나면서 EF는 그 애들에게…… 동요를 일으켰어."

"맞아. EF는 나한테도 동요를 일으켰어―그리고 너한테도. 그러니까 내 정신을 흔들어놓고, 늘 다시 생각하게 하고, 내 머릿속에서 별들이 터지게 했어."

안나는 자신이 너그럽게 봐준다는 걸 드러내놓고 강조하는 듯한 미소를 지었다. "그래, 그 별의 폭발. 하지만 많은 학생은 EF가 늘 자기 장난감 목마* 위에 올라가 있다고 생각했어."

"타고 있다고. 자기 장난감 목마를 타고 있다고."

"뭐가 됐든. 그 애들은 시험을 통과해서 자기 인생을 계속 이어 나가고, 또는 그 인생으로 돌아가고 싶어 했어."

"그래서 더 바보지."

"닐, 영감을 주는 선생이란 위로를 주는 신화 같은 거야. 사춘기 애들한테는 통할 수 있어도 서른 살짜리들이 모인 집단에는 그렇지 않아. 그런데 너는 늘 너한테 뭐가 뭔지 말해줄 수 있는 여자들을 찾았지. 예를 들어 나 같은, 한동안은."

나는 당황했고, 이어 격분했다. 안나가 내 인생의 완전히 다른 두 부분을 섞고 있는 것 같았다.

"그래서 너는 네가 EF 같다고 생각하는 거야?" 내가 분개해서 물었다. 내가 하고 싶은 말은 이런 것이었다. 네가 EF만큼 훌륭하고, 그만큼 독창적이고, 그만큼 경이롭다는 거냐?

"닐, 우리 둘 다 머리가 세고 있어. 그런 걸 불쾌하게 느끼기에는 인생을 너무 오래 살았어."

"정말 그런지 잘 모르겠는데. 어쨌든 너는 지금 너 자신이 세상을 향해 뭐가 뭔지 말해줄 수 있는 사람이라고 생각하고 있는 게 분명해. 나는 이제 그딴 게 **필요** 없어. 그리고 우리

---

* 좋아하는 화제나 주제.

는 지금 핵심에서 한참 벗어난 것 같아."

"아닌데."

"그러니까 너는 지금 EF를 네가 만난 가장 특별한 사람으로 꼽을 만하다는 걸 부정하는 거야?"

"전혀 그렇지 않아. EF는 그런 사람 맞아. 내가 제안하는 거—너한테 뭐가 뭔지 말해주지 않고 그냥 제안하는 거—는 그게 찬사의 독백monologue이 되어서는 안 된다는 거야. EF가 모노로 시작하는 단어들을 어떻게 생각했는지 잊지 마."

"물론이지. 독백은 단조롭고monotonous 편집광적monomaniacal 이고……."

"……단일문화적monocultural이다."

우리는 웃음을 터뜨렸다. 여전히 괜찮았다, 우리는 친구로는 여전히 괜찮았다.

"하지만 나더러 제프하고 이야기를 하라고 제안하는 건 아니지, 그렇지?"

"그 애 이메일을 받았어."

"염병할 지옥이로군." 기운 빠지는 생각들이 머리를 스쳐 갔다. "너 설마…… 너 그런 거 아니지…… 제프와?"

그녀는 나에게 윙크를 했다. 사실 그녀는 윙크를 한 번도 제대로 한 적이 없었다, 늘 어떤 영어 토착 표현을 제대로 구사하지는 못했던 것처럼. 그것은 윙크와 깜빡임의 중간쯤이었다.

"너희 남자들이란." 그녀는 그렇게만 말했다. "너희 잉글랜드 남자들이란."

나는 커다란 치즈 덩어리와 '알카마르의 렘브란트'가 그린 작품이 복제된 그림엽서 몇 장을 들고 집으로 돌아왔다. 안나에게 도전하는 마음으로(동시에 안나의 조언을 따르고 있다는 것도 깨달으면서) 나는 컴퓨터를 켰다.

제프에게, 아마 좀 느닷없다고 여겨질 거야. 알카마르에서 안나를 봤는데 네 주소를 주더라고. 나는 지금 엘리자베스 핀치에 관한 짧은 회고록을 쓸까 생각 중이야. 혹시 너한테 어떤 이야기, 일화, 특별한 기억이 있는지 궁금해. 또, 선생님에 대한 네 생각이 세월이 흐르면서 변했는지도. 물론 네 말을 인용하기를 바라지 않을 수도 있고, 네 이름을 지우기를 바랄 수도 있겠지. 알려줘. 잘 지내고, 닐.

이틀 뒤.

닐에게, 그래, 그 선생은 대단한 인물이었지, 안 그래, 그 그리운 핀취? 그 선생한테는 물론, 뭐라 해야 할지 모르겠네, 스타일이 있었어. 자기를 제시하는 어떤 방식. 많은 선생이 그걸 갖고 있지는 않지. 나는 그런 스타일이 있는 거 싫지 않아. 또 그 선생은 아는 게 많았지, 물론. 기초 과정을 가르치는 게 늘 더 쉬운 일이긴 하지만. 그 선생은 구식이라기보다는 고대식이라는 느낌이었어. 네가 나한테 미친 트로트*라는 별명을 붙였다는 건 알지만, 그 선생의 문화나 문명에 대한 관점은 현대 사상, 체계적 사상, 비판적이고 지적인 이론에는 전혀 영향을 받지 않은 거였어. 늘 '엄격성'에 관해 이야기를 했지만 내가 보기에 그 선생이 가르치는 스타일은 자기 방종에 가까웠어. 그 선생은 자기가 '독창적'이라고 생각하는 게 분명했는데 나는 '아마추어'가 더 잘 어울리는 말일 거라고 생각해. 그리고 아마추어 학자의 시대는 오래전에 사라졌어, 친구. 나는 강사가 되었을 때 물론 그 선생을 반례로 이용했어. 그 선생이 우리더러 히틀러를 읽으라고 권했던 거 기억나? 또 그 선생은 초대 기독교 교회에 집착하는 것처럼 보였어. 요즘에는 그래서는 탈이 없을 수가 없어. 그 선생이 무슨 큰 해를 주었다는 건 아니야. 그저 그 선생이 모든 일에 접근하는 방

* 트로츠키주의자.

식, 그 선생의 '별난 의견'이 어떤 식으로든 타당성을 잃었다는 거야. 지금 한 어떤 말이든 인용해 준다면 아주 행복하겠어, 네가 좋다면. 출판사를 찾는 일에도 행운이 있기를! 계속 앞으로 또 위로 나아가기를, 제프.

추신. 이렇게 시간의 거리가 생기니 네가 그 선생에게는 사족을 못 쓰는 편이었을 뿐 아니라 그 선생을 신화로 만들기도 했다고 말해도 네가 상관하지 않을 거라 믿게 되네. 그렇다고 무슨 해를 준다는 건 아니고, 정말로. 우리 모두 살아갈 때 의지가 될 작은 신화는 필요하잖아, 안 그래?

내가 열이 확 받은 것은 그 "작은"이라는 말 때문이었다. 거기에 나를 "친구"라고 부른 그 싸구려 가식. 이런 김이 무럭무럭 피어오르는 말똥 무더기 같은 놈, 나는 생각했다. 게다가 그는 EF와 히틀러에 관한 그 타블로이드 신문 기사의 출처가 자신임을 인정하고 있는 것이나 마찬가지였다. 그래도 다시 만나 한잔하면서 "옛날얘기나 하자"라고 제안하지는 않았다.

이렇게 세월이 흘렀음에도 안나가 여전히 나를 잘 읽어낸다는 점은 인정할 수밖에 없었다. 예를 들어 그녀가 영리하게 독백을 언급하여 화해를 끌어낸 것. 나는 EF가 그 주제에 관해 한 말을 기억했다. "나는 극적 장치로서 그 뛰어남을 부정하지 않는다. 단지 그 극단적 인위성을 지적하고 싶을 뿐인데 그게 물론 그것이 뛰어난 이유이기도 하다." 나 자신의 수수한 배우 경력에서는 생각해 본 적도 없는 것이었다.

나는 EF가 나에게 일반적 유산 외에 구체적 유산도 남겼음을 깨달았다. 단어와 표현이라는 유산, 내가 반드시 이해하거나 받아들일 수는 없지만 오랜 세월 나를 따라다니게 될 생각들이라는 유산.

안나를 찾아간 것에 관해 한 가지 더. 그녀가 한 어떤 말 때문에 나는 EF가 세상에 보여준 차분하고 통제된 얼굴 밑에 격노의 저류—아니, 울부짖는 물길에 가까운 것—가 있지 않았을까 궁금해하게 되었다. 이건 완전히 틀린 생각일 수도 있다. 하지만, 전 아내 하나가 동종요법 의사를 찾아가 사라지지 않는 자신의 병을 치료할 방법이 있느냐고 물었을 때 놀란 기억이 나는데 그녀는 그 병을 "부글거리는 원한"이라고 묘사했다.

최근에 율리아누스의 전기를 쓴 사람은 그의 웅대한 기획이 모두 실패했고, 그의 승리—군사적·행정적·신학적—로 보이는 것조차 짧았고, 심지어 착각이기도 했다고 결론을 내렸다. "실제로 '강력한 전사들'의 유일한 진짜 승리는 조세 제도를 정리한 것이었다." 그걸 보고 실패가 성공보다 흥미로울 수 있고, 패자가 승자보다 많은 이야기를 해준다는 EF의 말이 기억났다. 또 심지어 임종을 맞이할 때도—어쩌면 특히 임종을 맞이할 때—우리가 어떻게 심판받을지, 또는 사람들의 기억에 남는다 해도 어떤 식으로 남을지 알 수 없다고 말한 것도. 모래에 발자국을 남기지만 다음 바람이 쓸어가 버릴지도 모른다. 또는 먼지에 발자국을 남겼는데 우연히도 폼페이에 사는 바람에 수백 년 동안 그 완벽한 형태가 살아남을지도. 린다를 생각할 때면—안나가 수십 년 뒤 개입하여 정정해 주었음에도—나는 늘 그녀가 대학교 술집의 테이블에 남긴 그 축축한 손바닥 자국으로 그녀를 기억하게 될 것임을 알고 있다. 그때 나는 혼자 남아 먼저 나의 술을, 그리고 그녀의 술을 들이켰고, 가려고 일어섰을 때 그녀의 손바닥 자국은 사라지고 없었으며, 그 이후로는 존재하지 않았다. 나의 고집스러운 기억에만 존재할 뿐.

나는 율리아누스를 생각했다. 수백 년의 세월이 그를 해석하고 또 재해석해 온 방식. 여러 색깔의 조명을 받으며 무대를 가로질러 걸어가는 사람처럼. 오, 저 사람은 빨간색이야, 아니야, 주황색에 가까워, 아니야, 검은색에 가까운 인디고야, 아니야, 저 사람은 완전히 검은색이야. 이보다는 덜 극적이고 덜 극단적이지만 이게 어떤 사람의 인생을 보든 벌어지는 일인 것으로 보인다. 그 사람의 부모, 친구, 연인, 적, 자식이 각각 보는 방식. 지나가던 모르는 사람이 갑자기 그의 진실을 눈치채기도 하고, 오랜 친구가 그를 전혀 이해하지 못하기도 하고. 사실 사람들은 우리가 우리 자신을 보는 방식과는 다른 방식으로 우리를 본다. 뭐, 사람으로 살려면 자기 역사를 잘못 알아야 한다.

뒤늦게 나는 제프처럼 EF를 좋게 보지 않는 사람들도 있고, 그녀에게서 다른 것을 원했던 사람들도 있다고 인정할 수 있었다. 세월이 흐르면서 그녀를 완전히 잊었거나, 그녀를 하나의 희극적인 일화로 줄여버린 사람도 동기 가운데 있을 것—어쩌면 많을 것—이라는 점도 받아들일 수 있었다.

하지만 나는 전혀 상관하지 않았다. 왜냐하면, 보다시피, 그게 그녀를 좀 더 **나만의 존재**로 만들어주었기 때문이다.

출발점으로 돌아가자. 엘리자베스 핀치는 우리 앞에 서서 마치 써 온 산문을 읽는 것처럼 말하고 있다. 뇌와 혀 사이에 간극이 느껴지지 않으며, 차분하고 우아하고 놀랍고 완전하다. 조제된 사람, 오랜 세월 흠 하나 없는 수준이 될 때까지 자기표현 방법을 연마한 사람일까? 인위적이다, 다른 말로 하면. 하지만 그런 인위성이 진정성에 도움이 된다. 그게 그녀가 암시하는 바였고, 실제로 말한 바였다. 그게 말이 되는가? 우리 모두 조제된 또는 인위적인 단순성을 이용하여 세상을 통과하는 사람들을 떠올릴 수 있다. 거짓 순진faux naïf, 우리는 그걸 그렇게 부른다. 그러나 EF는 거짓되지도 순진하지도 않았다. 사실 스펙트럼에서 그 정반대에 있었다. 여전히 스펙트럼 위에 있기는 했지만.

이렇게 표현해 보자. 나는 강의실에서, 파티(그녀는 파티에서 늘 일찍 자리를 떴다) 때 건너편에서, 수많은 점심 식사 자리에서 EF를 지켜보았다. 그녀는 나의 친구였고, 나는 그녀를 사랑했다. 그녀의 존재와 모범 때문에 나의 뇌는 기어를 바꾸었고, 나는 자극을 받아 세계 이해에서 비약적 발전을 이루었다. 나는 그녀가 다른 누구에게도 보여주지 않았을 공책들을 읽었고, 그녀가 나에게 남긴 책의 모든 연필 자국을 살폈다. 하지만 아마 이 모든 만남과 대화, 그리고 그것에 대한 나의 기억—기억도 결국은 상상력의 기능 가운데 하나다—은 수사학의 비유와 같고 과거에도 그것은 마찬가지였다. 문학적 비유가 아니라 살아 있는 비유지만, 어쨌든 비유. 아마도 내가 엘리자베스 핀치를 '알고' 또 '이해하는' 것은 율리아누스 황제를 '알고' 또 '이해하는' 것보다 나을 것이 없을 것이다. 따라서, 이것을 깨달았으니, 멈출 때가 되었다.

다시 그녀의 모습이 보인다. 점심 테이블에서 내 쪽으로 몸을 기울이고 있다. 내가 파스타가 아닌 송아지 고기 에스칼로프를 택한 뒤다. "어떤가요?" 그녀가 열띤 표정으로 묻는다. "실망스럽나요?" 마치 다른 모든 것에 관해서도 그렇게 물어보고 있는 것 같다. 인생, 하느님, 날씨, 정부, 죽음, 사랑, 샌드위치, 미완성 걸작의 존재.

이건 어떨까. 그녀는 황제와 그의 역사적 결과에 관한 책을 쓸 계획이지만 제대로 되지 않는다. 그녀에게 그만한 기술이 없어서일 수도 있다. 또는 역사적·신학적 복잡성에 좌절했는지도 모른다. 또는 율리아누스가 알고 보니 그녀가 처음 생각하던 그런 사람이 아니라는 것이 드러나기 때문인지도 모른다. 또는 출발할 때의 크나큰 담대함이 보상받지 못했기 때문인지도 모른다. "그대가 이겼다, 오 창백한 갈릴리인이여"는 추적할 수 있는 경로를 통해 기독교 유럽의 감정적 냉랭함froideur과 교황의 권위주의에, 다시 말해 환희는 없이 죄책감에 찌든 신교와 부패하고 죄책감에 찌든 구교와 이어지지 않았다. 그렇게 이어졌다 해도 그녀는 그 경로를 찾는 사람이 될 수 없었다.

그래서 그녀는 자기가 쓴 걸 없애고(그녀의 '순교' 전에 아니면 후에?) 준비하며 작성한 메모들과 구상들을 다른 사람에게—나에게—물려주었다. 그것을 미완성 프로젝트로 악명 높은 자에게 넘긴다는 것을 알면서, 또는 알지 못하면서. 어느 쪽이든 그녀는 그 아이러니를 인식했을 것이다.

그녀 자신은 어떤 것도 운에 맡기는 일이 거의 없었음에도, 내 생각으로는, 나에게 자신의 문학적 찌꺼기에 대한 책임을 넘김으로써 재미있는 방식으로 바로 그 일을 했다. "재미있는 방식으로"—그래, 그녀에게는 아이러니를 멋지게 구사하는 재치가 있었다, 우리는 그것을 잊지 말아야 한다. 그녀가 반쯤 지워버린 자취를 좇을 에너지나 관심이 나에게 있느냐 없느냐 하는 것은 운이었다. 또 내가 어떤 식으로든 그녀의 '책'을 재구축할 시도를 할 것이냐 말 것이냐 하는 것도 운이었다. 내가 그녀의 삶을 재구축할 시도를 하느냐 마느냐—그녀는 예상도 하지 못했을 텐데—하는 것은 말할 것도 없고.

그래서 나도 그렇게 하기로 결심했다. 운이, 우연이 자기 뜻대로 하게 놓아두는 것. 나는 지금까지 쓴 것을 서랍에 넣어두고, 어쩌면 그 옆에 EF의 공책들도 놓아둘 것이다. 가끔 내 자식 하나가 내가 죽은 뒤 그걸 발견하는 상상을 한다. "오 이것 봐, 아빠가 책을 썼네! 읽어보고 싶은 사람?" "그것도 미완성 프로젝트겠지." "우리 같은." 그런 다음 자식들은 아버지로서 나의 결함을 이야기할지도 모른다. 내가 타자로 친 것을 다시 서랍에 던져 넣고 청소부가 쓰레기통에 버리게 할지도 모른다. 아니, 나는 지금 내 자식들을 지나치게 깎아내리고 있다. 셋 가운데 하나는 아빠가 하던 일을 보자 약간 감상에 젖고, 약간 호기심을 느낄지도 모른다. 어쩌면 다른 자식이 엘리자베스 핀치가 누구인지 궁금해하며, 우리가 연인 사이였는지 궁금해하며, EF의 공책들을 들고 갈지도 모른다. 하지만 그건 실망을 주고—너무 많은 결론, 불충분한 서사—버려질 것이다. 나의 '책'—그게 그런 말을 들을 만하다면—은 다른 책상의 다른 서랍에 들어갈지도 모르고, 그다음 운명은 어쩌면 아직 태어나지 않은 누군가에게 맡겨질지도 모른다.

이건 정당할 것이다. 어떤 일은 우리가 어떻게 해볼 수 있고 어떤 일은 우리가 어떻게 해볼 수 없다. 이 일은 지금 내가 어떻게 해볼 수 없고 따라서 내가 자유와 행복을 얻는 것을 방해하지 않을 것이다.

지금 아이러니 섞인 웃음소리가 들린다면 그건 내 입에서 터져 나온 것이다.

감사의 말

내가 많은 오류를 저지르는 것을 막아준 내 형 조너선 밴스에게 고마움을 전한다. 또 매슈 벨, 피터 빈, 바네사 기나이리, 크리스티 클린커트, 허마이어니 리, 피터 밀리컨, 수마야 파트너, 로버트 프리스트, 스테판 레베니치, 리치 로버트슨, 조지 시리미스에게 감사한다.

159페이지에서 인용한 가사는 콜 포터가 작사 작곡한 노래 「Well, Did You Evah?」에서 가져온 것이다.

옮긴이의 말

"모든 만남과 대화, 그리고 그것에 대한 나의 기억……은 수사
학의 비유와 같다."

이것은 이 소설의 거의 마지막에 등장하는 흥미로운 구절
이다. 여기서 비유라는 말은 그 인간 자체에 대한 비유라는
뜻으로, 예를 들어 내가 어떤 사람을 어떤 상황에서 만났다
면 그 만남이 그 사람을 표현하는, 뒤집어 말하면 그 사람을
읽어낼 수 있는 하나의 비유가 된다는 뜻인 듯하다. 이렇게
한편으로는 이 만남이 그 사람을 알 수 있는 열쇠가 되지만,
다른 한편으로는 그 앎이란 어디까지나 비유를 통한 간접
적·부분적 앎일 뿐 그 사람의 실체 자체나 전모를 알게 된다

는 보장은 없다. 만남의 횟수를 늘린다고 해서, 누구보다 친밀해진다고 해서 그 앎이 절대적인 수준에 이를 거라고 기대하기 힘들다는 건 쉽게 짐작할 수 있을 듯하다. 인간의 외피 안에 있는 한 물자체物自體를 인식하는 게 난망한 일이듯이 사람 자체를 온전히 인식하는 것도 간단치 않다는 것이다.

이 말은 이 소설의 서술자인 닐이 책 한 권을 바쳐 엘리자베스 핀치라는 인물을 그리려 애를 쓴 끝에 토로한 것인 만큼, 아무리 현대적 서술자 특유의 겸손 또는 엄살이라 해도, 꽤 허탈감을 주는 것은 사실이다. 그러나 우리 또한 현대의 독자로서 대상에 대한 인식에서 그 정도의 상대성쯤은 전제하고 인물 이야기를 읽는다. 실제로 우리는 어떤 객관적 엘리자베스 핀치가 아니라, 닐의 눈에 비친—줄리언 반스의 눈에 비친—엘리자베스 핀치를 보기 위해 이 책을 펼치지 않았던가. 따라서 우리가 요구하는 엘리자베스 핀치의 진실은 서술자의 진정성으로 뒷받침되는 것이고, 우리는 줄리언 반스를 신뢰하듯 닐을 신뢰하고 있다. 물론 영리하게도 일인칭 서술자로 등장한 닐은 우리의 신뢰에 보답하여 대단히 매력적인 한 인물의 초상을 우리 눈앞에 제시한다.

사실 이 인물의 존재감은 조금 전 닐의 겸손으로 인한 우리의 허탈감을 비웃듯이(그래서 '엄살'이라는 말을 썼다) 소설 전체를 꽉 채우고도 남아 우리는 엘리자베스 핀치와 직접 대면하는 느낌에 사로잡히며, 우리 또한 이 만남이라는 비유를 통해 매력적인 새로운 사람을 조금이나마 알아가게 된다는 흥분을 느끼게 된다. 그런데 무엇보다 흥미로운 점은 이 새로운 인물이 뿜어내는 매력의 근원이 이미 이 세상에서는 '과거'에 속한 것으로 여겨지는 태도나 마음가짐이라는 것이다.

　　"현재의 과제는 과거에 대한 우리의 이해를 교정하는 것이다. 이 과제는 과거를 교정할 수 없을 때 더 긴요하다."
　　"시간에 속지 말고 역사……가 선형적이라고 상상하지 마라."

　　엘리자베스 핀치의 말이다. 그리고 그녀는 이 말을 몸소 실천하여, 기독교 세계와는 다른 세계를 꿈꾸던 인물, 또 스토아철학의 핵심을 구현한 인물의 생각과 태도를 자신의 바탕으로 삼는다. 모두 이천 년 가까운 세월 전에 이 세상에 살았던 사람들이다. 그런데 보라, 그 오래된 것이 엘리자베스 핀치에게서 얼마나 광채를 발하는지, 그래서 이십일 세기의 한 인간을 얼마나 빛나게 하는지.

번역을 하고 책이 나오기까지 같은 내용을 몇 번 보게 된다. 가끔은 그게 지겨울 수도 있고, 흔치는 않지만 다시 볼수록 더 좋은 경우도 있다. 『우연은 비켜 가지 않는다』는 후자에 속하는 책이고, 줄리언 반스에게 더욱더 매력을 느끼게 해준 고마운 책이다. 독자들에게도 그런 책이 되기를 바란다.

사족: 엘리자베스 핀치에게는 모델이 있다. 주 모델은 소설가이자 미술사학자였던 어니타 브루크너(1928-2016)이고, 부 모델(소설의 한 사건과 관련된 모델)은 얼마 전에 작고한 소설가 힐러리 맨틀(1952-2022)이다. 줄리언 반스까지 세 사람모두 부커상 수상자라는 공통점이 있다.

2024년 8월 정영목

추천의 말

30년 전, 처음 읽었을 때부터 내게 줄리언 반스는 페이지 터너였다. 무관심하고 방관해도 좋을 세계 속에서 누군가 그 존재를 드러낼 때 줄리언 반스의 주인공은 언제나 필사적으로 상대를 이해하기 위해 애쓰고, 나는 그 이야기에 빠져든다. 나는 마지막 페이지까지 단숨에 읽은 뒤 중얼거린다. 그래서 나는 이 소설을 제대로 읽은 것인가?

나는 이 책을 처음에는 소설로, 그다음에는 인생 지침서로 읽었다. 줄리언 반스를 읽은 뒤로 내게는 어른의 수업이 시작됐는데, 이 소설의 주인공 엘리자베스 핀치는 그 수업에 가장 어울리는 선생이다. 소설 속 화자는 마지막 순간에 이르러, 그래서 나는 엘리자베스 핀치를 얼마나 알게 됐는가,

라고 자문한다. 결코 타인을 이해할 수 없다는 이 절망 앞에서 우리에게 필요한 것은 다시 읽기뿐이다. 이해하기 위해서가 아니라 타인을 그대로 받아들이기 위해서. 내 바깥의 세상을 바꾸기보다는 내가 변하기 위해서.

그러므로 줄리언 반스의 소설을 한 번만 읽는 건 거의 불가능하다. 이 책도 마찬가지다.

_김연수(소설가)

당신은 당신이 어떤 사람이라고 생각하는가. 당신은 당신을, 당신의 친구를, 엘리자베스 핀치를 어떤 사람이라고 생각할 것인가. 학생들을 휘어잡았던 우아하고 뛰어난 선생, 혹은 은근한 답변으로 상대를 곤란하게 만들던 의뭉스러운 대화 상대, 혹은 자신의 사적인 부분을 쉬이 밝히지 않던, 혹은 사적인 삶이란 무엇이냐고 묻는 스토아 철학자. 혹은 그 이상. 엘리자베스 핀치의 삶을 되짚어 따라가는 제자에게, 그녀는 한 가지 흐름으로 정리된 매끄러운 서사에 도취될 것이냐고 묻고 있다. 이제 당신이 대답할 차례다. 당신이 읽은 엘리자베스 핀치는 어떤 사람이었는가? 당신은 분명히, '잘못 알게' 될 것이다.

_김겨울(작가)

)))●((((

ELIZABETH FINCH

옮긴이 정영목

이화여자대학교 통번역대학원 교수로 재직하며 전문 번역가로 활동하고 있다. 지은 책으로『완전한 번역에서 완전한 언어로』『소설이 국경을 건너는 방법』이 있고, 옮긴 책으로는『연애의 기억』『아버지의 유산』『미국의 목가』『에브리맨』『네메시스』『달려라, 토끼』등이 있다.『로드』로 제3회 유영번역상을,『유럽문화사』로 제53회 한국출판문화상(번역 부문)을 수상했다.

우연은 비켜 가지 않는다

초판 1쇄 발행 2024년 9월 4일
초판 7쇄 발행 2024년 10월 18일

지은이 줄리언 반스
옮긴이 정영목
펴낸이 김선식

부사장 김은영
콘텐츠사업본부장 임보윤
책임편집 김보람 **책임마케터** 양지환
콘텐츠사업2팀장 김보람 **콘텐츠사업2팀** 박하빈, 채윤지, 김영훈
마케팅본부장 권장규 **마케팅2팀** 이고은, 배한진, 양지환 **채널팀** 권오권, 지석배
미디어홍보본부장 정명찬
브랜드관리팀 오수미, 김은지, 이소영, 박장미, 박주현, 서가을
뉴미디어팀 김민정, 이지은, 홍수경, 변승주 **지식교양팀** 이수인, 염아라, 석찬미, 김혜원
편집관리팀 조세현, 김호주, 백설희 **저작권팀** 이슬, 윤제희
재무관리팀 하미선, 임혜정, 이슬기, 김주영, 오지수
인사총무팀 강미숙, 김혜진, 황종원
제작관리팀 이소현, 김소영, 김진경, 최완규, 이지우, 박예찬
물류관리팀 김형기, 김선민, 주정훈, 김선진, 한유현, 전태연, 양문현, 이민운

펴낸곳 다산북스 **출판등록** 2005년 12월 23일 제313-2005-00277호
주소 경기도 파주시 회동길 490
대표전화 02-704-1724 **팩스** 02-703-2219 **이메일** dasanbooks@dasanbooks.com
홈페이지 www.dasanbooks.com **블로그** blog.naver.com/dasan_books
종이 스마일몬스터 **인쇄** 한영문화사 **제본** 국일문화사 **후가공** 평창피엔지
ISBN 979-11-306-5592-5 (03840)